創作入門

小説を驚くほどよくする方法

——小説は誰でも書ける

奥野忠昭

鳥影社

序

筆者の私は、四十二年間、詩人の故・小野十三郎氏などが創立した詩や小説やエッセイなどの書き方を教える大阪文学学校というところで、週一回、主に夜間クラスで（退職後は昼）、受講者たちの書いてきた作品をもとにして、小説の書き方を指導してきた。受講者の多くは初めて小説を書く人たちだった。受講者たちは学校教育では作文や説明文、時には詩の書き方の指導を受けてきたし、卒業後、エッセイや短歌・俳句などを書いてきた人たちもいた。しかし、小説は初めてか、それとも我流で書いてきた人たちだった。

しかし、小説の文章は今まで書いてきた文章の延長線上にはない、独特の書き方をしなければならない。俳句や短歌には、独特のきまりがある。そのきまりをわきまえないと短歌や俳句は書けない。それは皆知っている。シナリオなどもまた独特の書き方をしなければならない。小説にも小説独特のきまりがあり、それらをわきまえないと小説は書けない。しかし、そのことは案外知られていない。小説は今まで書いてきた文章の延長線上で書けばいいと思っている人が多い。しかし、そうはいかない。

小説のきまりはなにも難しいことではない。意図的に訓練すればすぐにでも身につくものである。しかし、それを知らないために、初心者だけではなく、同人誌などで活躍している人の中にも、持っているすばらしい感覚や発想力や想像力を十分に生かし切れていない人が多くいる。しかも、その人たちに読んでもらいたい参考書がない。

確かに、小説についての研究書や参考書はたくさん発行されている。著名な作者の小説の書き方の本もある。しかし、それらはいざ小説を書こうとする者にはほとんど役にたたない。多くの研究書は読み手側からとらえたものであり、また、作者からの参考書は経験的なもので、理論的なものではないし、基礎的なものでもない。

そこで、幸い、筆者の私は小説を書きつづけてきたし、大学に勤めていて、専攻分野が違っていても研究が重なるところもあって僅かだが創作に関係することも学ぶことができた。それで、退職後、多くの時間を創作に関わる理論研究に当てることができた。さらには四十二年間、初心者の書く小説や同人誌の作品を読んできた経験から、彼ら・彼女らの陥るミスの傾向や共通して悩むところなども知ることができた。

そこで、意を決してこのような本を出版することにした。もちろんこれを理解し実践したからといって直ちに賞がとれたりプロになったりできるものではない。これは小説を書く基本である。しかし、これだけの基本を知っていれば、小説として恥ずかしくないものが書けるはずである。

かつて松本清張が、小説を書き始めたころ、神戸松蔭女子学院大の教師だった木村毅の『小説研究十六講』を何十回となく読んだという。私もその復刻版を持っているが、帯に松本清張が「多くの作品を博く引いて立証し、創作の方法や文章論を尽くしたこの本に、私は眼を洗われた心地となり、それからは小説の読みかたが一変した」と書いている。私もそのような本を書きたいと思い、もちろん知識は木村氏には遠く及ばないが、私には四十二年間の経験がある。私も創作者に役立つ『小説研究十六講』のような書物を書きたいものだと思い、意を決して、このような書物を出版した次第である。

（注　なおこれは『これだけを知っていれば小説は見違えるほどよくなる』（文学学校・葦書房刊）、および、雑誌『樹林』に「講座・小説表現の基本」として十二回にわたって連載したものをもとに、大幅に加筆、修正、改編したものである）

目次

第三章　言表の方法

創作入門——小説は誰でも書ける

小説を驚くほどよくする方法

奥野忠昭

第一章　小説の特色

1　小説を書くと、どのようないいことがあるのか？
——誰でも小説は書けるし、書いて欲しい

小説は物語から発展したもので、物語性を含んでいるのだが、その物語をなぜ人々が書くようになったかについて、アリストテレス（ローマ歴・紀元前三八四年生の古代ギリシァの偉大な哲学者＊筆者記、以降（）内はすべて筆者記）が「詩学—創作論—」ⓐ（以降「詩学」とのみ記す）で、それには二つの理由があると言っている。一つは、人間はものまねをするのが子供のときから好きで、それが他の動物より優れた点であり、もう一つは、まねされた結果を喜ぶという点だという。このまね（ミメーシス）の能力によって人間は物事を学ぶことができたのであり、「まなぶ」は「まねぶ」からきているのであって、この二つの能力は人間の自然の本能であると言っている。

確かに、このことは真実だと思う。テレビなどで、ものまね番組が人気を博し、ひとは優れたものをまねしたがり、ものまねを喜ぶ性質を持っている。そのため、人は自ずと物語的に話し、物語的に話されたことを喜ぶ。テレビで「バラエティ」というジャンルがあるが、人々は出来事をできるだけ喜劇的、再現的に物語として話し、それをみなが喜ぶということで成り立っている。

また、人々のおしゃべりを聞いていると、さりげない出来事を、例えば自分の子供の出来事を物語的

に伝え合い、共感し合い、喜んでいる。人々は物語的にしゃべり、物語的に理解しあっている。物語はいたるところにある。

これを社会的に言えば、例えば、落語にしても、漫才にしても、物語的であり、映画、演劇、テレビドラマ、アニメ、漫画、伝記、放送台本、新聞記事、広告などもそうであり、最近では「ナラティヴ・セラピー」といった精神医学にまで物語が応用され始めている。

それに、今、自分史を書くというのがはやっている。これは、自分とはいったどのような人間だったのかを改めて認識するために物語的に書くのであるが、ポール・リクールという解釈学者は、生まれてこのかた、様々に変化してきた自分（顔つきまで変わり、子供時代や少年時代のみを知っていて、壮年になった同じ人を見て、彼だと認識できる人は少ない。言われてみて、初めてかすかに残る面影を認めるといった有様である。性格や能力も以前と同じであるはずがない）を同一の自分と認識できるのは、自分を物語的に認識できるからであると言っている。そうして、そのような同一性を「物語的自己同一性」[ⓑ]と名付けた。

このように物語というのは、人間の基本的な認識能力であり、伝達能力であり、想像能力である。ただ、物語は様々なところに存在していると言ったが、現在、それを本格的に、意図的に、また言語的に真正面から取り上げているのは小説である。小説を読み書きするのは、本来人間に備わっている物語的認識力、同伝達力、同想像力を意図的に鍛え上げることでもある。だから、編集者から作家になったり、落語家や漫才師や新聞記者が優れた小説を書き、プロ作家になっても何の不思議もない。彼らは仕事場で物語能力を鍛え上げたのだ。彼らの仕事は創作と地続きであったのだ。これは逆に、小説の書き方を学んだ生徒が、編集者になったり、漫画家になったり、新聞や業界紙の記者になったり、落語家になったり、セラピストになったりしても、そこで、彼らは小説を書いて鍛え上げた能力を充分発揮できるはずである。

しかし、それのみが小説を書く理由ではない。それ以上に重要な理由がある。何か表現したいことがあり、それを小説に書いてみたいという欲求があり、あるいは、面白い小説、感動した小説を読み、自分もそのような小説をまねしてみたいという欲求があって、実際に書いてみる。その行為が芸術体験をすることである。ジョン・デューイというアメリカの哲学者が、小説を書いたり読んだりするのは芸術経験をするためであり、それが最も重要なことだと主張した。また、その体験をすることにより、物の見方、感じ方、考え方を新しくし、自分を新鮮にすることになると、ロシア・フォルマリズムの旗手・シクロフスキーが言っている。

したがって、小説を書くことは、自分を新しくすることである。

もちろん、小説の書き方を学び、才能を開花させ、プロの書き手になることを大いに推奨したいが、そうならなくても、多くのメリットがあることを私は言いたいのだ。それに、前述したように日常的にも物語的なことは誰しもやっている。したがって、小説の書き方の素地は誰でも持っている。創作の基本さえ学べば、誰でも小説は書けるはずである。ただ、近・現代小説は、以前の物語よりも少し条件が厳しくなっている。それを学び、意図的に修練すれば、小説は誰でも書けるのである。

ぜひ、この文章を読んで、小説の書き方の基本を学び、物語能力を高めてもらいたいと思っている。

2　小説と体験記との違い
――体験を小説にしたいがどうすればいいのか？

これから初めて小説を書こうとしている人、または小説を何作か書いたがいっこうに小説らしいものにならない人、あるいは、小説を書くといっても何をどのように書けばいいのかわからない人が多い。筆者もその一人だった。そういう人には、まず自分の体験を素材にして書くことを勧める。

特に若い人にはそれを勧める。彼らはファンタジーを好んで読んでいるので、それをまねた作品を書きたがる。それは理解できるが、ファンタジーを書くには相当な力量がいる。人に読んでもらえるほどの作品にはならない。それに比べ、体験を小説化するのは容易である。それに、若い人の体験世界は未開拓な地であり、彼らは時代の変化を一番敏感に吸収していて、しかも、そこを書いている人は極めて少ない。だから書くには最も有利な世界にいる。

高橋和巳と言えば、今の人はあまり知らない作家だが、かつては時代の寵児であった。彼が、私が通っていた文学学校に来て講義をしたのだが、その中で、作家は最初は体験型から入り、そのうち、調べ型に移るのだ、と言っていた。やはり、小説の書き始めは体験からというのが常道のようである。

小説を書いたことのない人たちも、作文は書いてきたと思う。作文は、自分のしたこと、見たこと、思ったことを、ありのまま、よく思い出して書く、というのが原則である。学校で指導されたのはこの作文というものである。作文とは学校用語で、普通に言えば体験記である。では、作文のように書けば即小説になるのかと言えばそうではない。小説と体験記とは違うのだ。

日本では体験をもとにした小説が発達し、私小説というジャンルまでできた。では、私小説は体験記かと言えば、似てはいるが違う。いったいどこが違うのか。この違いさえわかれば体験を小説化できるはずである。

ある人はこの違いを次のように簡単に考える。作文は体験記なので「私は」という形で書かれる。それで、「私」の代わりに「華代は」とか「中田翔太は」とかに変えれば、体験記がそのまま即小説になると。

しかし、それでは決して小説にはならない。「華代は」「中西翔太は」と書いても体験記は体験記である。作者が自分のことを「華代」「中西翔太」と呼んでいる体験記である。

体験記と私小説は似てはいるが、根本的なところで違う。しかし、小説はまた体験記と似ている。それは私小説に限ったことではない。本格小説もSFも童話やファンタジーもみんな体験記に似ているのだ。

なぜ小説と体験記とは似ているのか。それは、小説は体験記の形態を借りているからである。小説は極めて特殊な体験記と言える。ではどこが特殊なのか。ひと言で言えば、小説は虚構（フィクション）の体験記と言える。しかし、これを想像の体験記ととらえてもらっては困る。ほとんど本当のことを描いても小説的に描けば小説である。小説的に描くとは、小説の原則に則って書くということである。実際に体験したことを小説の原則に則って書けば小説となる。

もちろん小説では作者が想像したことを書いても許される。しかし、想像したことか実際に作者が体験したことかは、作者でないとわからない場合が多い。読み手はむしろ小説の世界は実際に起こったこととして読んでいく。また作者はそう読むように仕向ける。だから、実際の体験かそれとも想像した体験かは、体験記と小説とを分けるもとにはならない。では、その基準とは何か。

小説の特殊な点は二点ある。それが体験記と小説を分けるもとになる。その一点は、小説には中心的な筋があり、その筋が小説的な筋であるかどうかである。もう一点は視点というものである。この二つが小説と体験記とを分ける重要なポイントである。これらについては、後ほど、詳しく説明するが、ここではごく簡単に説明しておく。

視点とは誰が述べているかという、小説世界がそこから出てくる発話者（作品において言葉を発している人・後ほど詳説）のことだが、体験を小説にする場合、小説上の発話者は作者に近い人であり、作者と考えてもさほどひどい間違いにはならない。したがって、体験を小説にできるかどうかは、もう一つの要素である筋ということになる。筋が小説的筋であるかどうかが、体験記か小説かを決める試金石である。

小説的筋とは、筋が一貫していて繫がっている、ということである。読み手側から言えば、筋が一貫していて出来事が持続していると思えることである。

「詩学」[a]の中でアリストテレスは次のようなことを言っている。「物語（小説と読み替えて欲しい）というものは、ある人々が考えているように、一人の人物について語られたからといって、そのまま統一性を持った物語となるというわけのものではない。なぜなら、一人の人物の身に起こることは無限に多いのであって、そのなかのあるものからはどうしても、一つのまとまりをつけることができないからである」と。

また、ポール・リクールという人は『時間と物語 Ⅰ』のまえがきで「物語の筋は―中略―多様でばらばらな出来事を「統握」（統一して、把握すること）して、一つの完全で完結した話に統合し、それによって筋は一個のまとまった物語に結びついた理解可能な意味を図式化（様式化）するのである」と述べている。

現実の体験はまた、いろいろなものが錯綜し、たくさんの筋や、あるいは、筋と関係しないものが混じり合っている。さらには、筋が途中で途切れてしまったりする。だから、体験を小説化しようと思えば、実際の体験を整理し、筋を意識的に考え、それに関わらないものは省き、関わることのみを書くという体験の加工が意識的になされなければならない。筆者の経験によると、初心者が体験を小説化しようとする場合、多くの出来事をあれこれ書いてしまう。だから一貫した筋にはならず、小説とは言えないものになる。

この一貫した筋で書くというのが、少しやっかいである。わかればたいしたことではないが、わからない人がわかるのには若干の苦労がいる。しかし、これが体験を小説化する要である。

そのようにばらばらにならないためには、書くことを狭い範囲の一つの出来事に限定することである。さらに、その出来事にもいろいろなものがくっついてくるので、それらをさらにそぎ落とすことである。

それらのことがなされている小説的な筋を具体的に提示してみよう。みんなのよく知っている芥川龍之介「蜜柑[1]」を考えてみよう（「蜜柑」を知らない人はぜひ一読してもらいたい。短いのですぐ読める。青空文庫にある）。

筋には、「行為を中心とした筋」や「外部の出来事を中心にした筋」と「人の内部を中心とした筋」の三つの筋が考えられるが、事例「蜜柑」の場合は「内部中心の筋」である。

主人公は世の中のことに嫌悪感を持ち、憂鬱な気分で二等客車（今で言うグリーン車）に乗る。そこへ田舎の住人と思われる素朴な娘が都会で働くためだろう、粗末な着物を着て乗ってくる。これが、筋の発端である。主人公は憂鬱な気分のまま、娘を注視していく。彼女は三等客車の切符しか持っていないのだが、二等車に乗って来ている。この振る舞いが主人公には気に入らない。したがって、娘に嫌悪感を抱き、憂鬱さがます。

次に列車がトンネルへ入る。その瞬間に娘は窓を開ける。窓からは煙が車内へ入ってくる（当時はまだ石炭を焚く汽車だった）。

主人公の怒りが爆発しそうになり、娘への嫌悪感が頂点に達する。しかし、列車はすぐにトンネルを抜け、踏み切りにさしかかる。そこで、娘はその開けられた窓から、彼女を見送りに来た弟たちの上に、持ってきた蜜柑を放り投げるのである。それを見た主人公は、娘が窓を開けた理由や、娘の幼い弟たちへの思いや優しさが蜜柑の美しさと相まってこころを打たれ、一気に気分がよくなり、厭世観もゆらぎ始めるのである。

つまり嫌悪感の上昇とそれが一気に逆転するというのが、この作品の小説的筋である。主人公は最初からaという状態であったのだが、ある外的なBという出来事が関わったためにaaという状態になり、さらに、それにCという出来事が関わり、aaaという気分になる。そこへまたDという出来事が関わり、今度は一気に「aの逆」という気分になり、出来事が終了するといったようなことである。このように、a─aa─aaa─aの逆、といった繋がりがある。このような筋を「プロット的筋」と呼んでいるのだが、これについては後ほど詳しく説明する。

体験記にも筋がある。例えば、パック旅行で海外旅行をし、そこで体験した珍しいことを、こんなこともあった、あんなこともあったと書いてみたとする。この場合、筋は海外旅行の行程に沿った珍しい出来事である。しかし、描かれる出来事や気持ちには一貫性がなく、こんなこともした、あんなことも見た、こんな気持ちもした、あんな気持ちもしたといったように、羅列的で、その間に強い繋がりがない。時間的な順序で出来事が描かれているだけである。このような筋を筆者は「ストーリー的筋」と呼んでいる。

つまり「蜜柑」の筋は「プロット的筋」であるが、海外旅行のような体験記の筋は「ストーリー的筋」である。つまり小説的筋とは「プロット的筋」のことを言う。

もし、パック旅行でも、旅行は楽しい気分で始まったのだが、ある人の行動のため、徐々に楽しくなくなり、終わりには、憂鬱な気分になって帰ってきたというような、旅行における「気分の筋」を考えるなら、小説的な筋になる。あるいは最後にその人がみんなが感謝するようなことを行い、やはり旅行に来てよかったと思うような筋にすれば、逆転が起こり、パック旅行でもすぐれた小説になる。

このように体験を小説化するには、体験をそのまま写すように書くのではなく。小説的な筋を意識し、それに基づいて体験を加工し、再構成して書くことである。それが体験を小説化する要である。

3　小説と映像的作品との違い
——映像慣れした人にぜひ注意してもらいたいこと

最近、言語表現より映像表現に慣れ親しんだ人が多い。その人たちが小説を書き始めた場合、特に注意して欲しいことがある。それは、映画や演劇やテレビドラマやアニメや漫画などの映像的作品のシステムをそのまま言語表現に持ち込んだり、あるいは、映像的表現の強い影響を受けて小説を書こうとしがちなことである。しかし、言語と映像とではその性質が大きく異なる。したがって、受け手側の理解の様相や認識の仕方も映像と言語ではまったく違う。だから映像的表現のシステムをそのまま言語表現に持ち込んだ場合、読み手は理解できなくなる。

例えばテーブルの上にリンゴが一つおいてあるとしよう。これを映像で表現して認識してもらうのと、言語によって認識してもらうのとでは、その在り方がまったく違う。映像による場合はそれをビデオなり写真なりに撮り、それを示せば様子が伝わる。その映像を外国の人に見せてもわかる。テーブルのことも同時にわかる。しかも、瞬時にである。何の努力もしなくてもいい。

ところがこれを言語で伝えようとすれば、まず、述べる言語が受け手側もわかっていなければならない。しかも、いかに詳しく述べたとしてもそれは概念でしかなく、どんな大きさで、どんな色で、どんな感じのリンゴかなど、細かなことはわからない。テーブルのイメージもまたしかりである。しかも、その様子をいかに詳しく描いても一時には断片的な一部しか描けない。言語発言も言語理解も時間的なものなので、読む方はその断片を総合し構成し、自分の体験なり想像力なりを総動員して自ら映像を想像しなければならない。たいへんな努力がいる。しかもそれは実際のリンゴとは、かなりへだたったものになる。

このように、小説は言語の制約を受ける。したがって、書き手は、読者にいらない労苦をさせないよう最善の努力をすべきである（映像には映像の制約がある。それは人間の「内的様子」は直接には絶対示せないことである）。

以上のように小説の理解には読み手の多大な努力がいる。書き手が容易に理解できるような描き方をしなければならない。それには、まず、小説の描き方の基本に従うことである。それらについては以後の章で詳しく説明するが、それに従って欲しい。

映像的表現に慣れている人の陥りやすい誤りは、いろいろな場面や出来事を強い繋がりのないまま、次から次へと描きがちなことである。

テレビドラマなどでは、次々と場面が変わる。いろいろな場面が矢継ぎ早に出てくる。だが、そうなっても、見ている人は何の苦労もなくそれらを受け入れられる。しかし、先ほど述べたように、言語でこれをやられたらたまったものではない。まったくお手上げである。なぜなら、言語はコンテクスト（文脈や表現にまつわるいろんな知識）やある程度の未来予測ができなければ理解ができないからであり、コンテクストや予測ができないうちに新しい場面が描かれたら、もはや理解が不可能になる。

文脈に沿ったものなら、あるいは予測に沿ったものなら、容易に理解できるが、新しいものなら非常な努力が必要である。

筆者はよく次のような例を出して、言語表現と映像的表現の違いを理解してもらう。それは、映像用のシナリオと舞台用のシナリオとでは、まったく違うということである。映像では、次々と場面を変えてもいい。それが可能である。しかし、演劇のシナリオではそうはできない。演劇では場面をこまぎれにして、めまぐるしく変えることはできないし、場面が同じところであっても、主人公の服装などをめまぐるしく変えることはできない。舞台用のシナリオは舞台という物理的なものの制約を受け、それに合うシナリオを書かなければならない。つまり舞台という表現条件があり、その条件に合わせた表現方法を考えなければならないのだ。

これと同じように、小説には、言語という表現条件がある。それに合わせて描いていかなければならない。小説は演劇に似ていて矢継ぎ早に場面を変えることはできない。中編の作品でも、日時が変化して場面が大きく変わるのは最大でも五、六場面ぐらいだろう。短編なら四場面以上は無理ではないか。しかも、その場面間には強い繋がりがなければならない。小説は筋が繋がっていなければならない。

それだけではない。映像の観客と小説の読者とは性質が違う。

その違いをひと言で言えば、映像の受け手は観客であるのに対し、小説の受け手は俳優である。特に描写中心の小説には観客はいない。

映像の作り手は映像を観客に見せるという形で作り上げる。それに対して小説の場合、読者は主人公、または中心人物になって、あるいはそれに寄り添って小説世界を生きようとする。これはシナリオによって人物を演じる俳優に似ている。小説の読者は、細かなところは自分で作り上げながら、その人物になりきって演じる俳優のようになって読むのである。したがって、書き手側もそのようなことができるように、読者に対して、細心の注意を払わなければならない。それが、映像の作り手と、小説の書き手との決定的な違いである。

映像慣れした書き手は映像的表現と小説表現とのこの違いを充分に理解し、言語表現では映像で得た知識なり感覚なりを間接的には生かしながらも、構造などを直接的には持ち込まないようにする必要がある。

第二章　発話者と視点

1　小説は作者が書いているのではない

第一章2節では、小説と体験記の違いは小説的筋、つまりプロット的筋で書かれているかどうかで決まると指摘しておいたが、そのとき、もうひとつ重要な違いがあることも述べておいた。それは視点である。この章ではそれについて詳しく説明したい。

体験記を書いているのは作者その人である。しかし、小説は作者が直接にはその文章（小説）を書いてはいない。書いているのは作者とは違う別の人物である。たとえば次のような文章がある。

> あの女を犯したのは、僕です。
> 犯した――人の眼にはそう映るかもしれませんし、確かに僕がしでかしたことはあの女の証言を信用した人からしたら強姦、レイプ、そう言われて訴えられてもしようがないでしょう。
> （花房観音「藪の中の《原文記載》情事②」冒頭）

作者の花房観音は女性である。しかし、この言葉を述べているのは強姦したとして訴えられた僕という男性である。作者は、このような男になって述べているのだ。ここの言葉はすべて作者の言葉ではなく、虚構人物の僕の言葉である。

このようにすべての小説は作者が直接述べるのではなく、作者とは違う虚構的人物が述べるのである。だから小説は虚構と言われているのだ。

作者が体験したことを小説として述べる場合は（このような小説は私小説と呼ばれている）、これも前章で述べたが、体験を加工しなければならない。しかし、述べる場合は加工したなどとおくびにも出さず、この通りの体験をしたのだと虚構的に述べる。つまり述べている人は、実際の作者と少し違う偽の人物になっている。このように、小説は作者が直接には述べない。虚構の人物が述べるのである。

これは腹話術師とよく似ている。腹話術の言葉は人形が発しているのだ。実際に喋っているのは腹話術師だが、表層的には人形が言葉を発している。聞く方も人形が述べているものとして聞く。

また、ドラマの俳優の言葉や振る舞いにも似ている。水谷豊演じる「相棒」の杉下右京の言葉や振る舞いは、水谷豊の言葉や振る舞いではなく杉下右京の言葉や振る舞いである。

このような書き方は小説独特の書き方で、初めて小説を書く人にとっては、今までに全く書いたことのない書き方であろう。今までは、書き手は作者自身であったのだが、小説では、別の人になって書かなければならない。だから、ここで躓く人が多い。読むことで知らず知らずのうちに小説の書き方を身につけてきた人はともかくとして、多くの人はこの障害を意図的に乗り越えなければならない。

では、小説を述べている虚構人物は誰か？

大きく分ければ「登場人物の一人」か「小説内世界を観察している人の中の一人」である（私は「小説内世界」と「小説世界」とを分けている。小説内世界とは、野球で言えば、フィールドで実際に野球をしている世界のことである。観客や報道関係者などは入らない。ところが小説世界では、それを見ている観客やその試合に関係するすべての人のことを指す)。

このどちらかの世界にいる人のうちの一人が「小説内世界の出来事」を述べるのである。

登場人物の一人が述べる場合には、小説の中に「私」または「俺」などの一人称の人物が出てくるのでこれを「一人称小説」と呼んでいる。述べる人物から言っても一人称の人物が述べるので、この観点からでも一人称小説と言える。筆者は述べる人物から考える方が理にかなっていると思っているのだが。

なお余談になるが、筆者は、中心人物と主人公とを分けている。中心人物とは小説内世界において、価値的に見て最も重要な人物のことを指す(傍線の語句は筆者の造語、または、筆者独特の意味において使用する語句を指す。ただし、一度、傍線をつけたら、以後はその意味において使用するが、傍線はつけない。以後同じ)。主人公とは、前述したように登場人物の一人で、彼、彼女が周りの様子や自分のことを述べる(発話する)人物を指す。普通主人公が中心人物である場合が多いが、そうでない場合もある。そうでない場合は一人称人物とでも呼んでおこう。前掲の「藪の中の情事」の僕は発話者であり、かつ、中心人物でもある。したがって主人公である。なお、三人称客観視点、三人称全知視点の小説では、登場人物が発話者ではない。したがって、主人公はいないことになる。いるのは中心人物のみである。

なお、登場人物以外の観察者が述べる小説では、小説内世界の人物はすべて三人称になる。それでこれを普通は「三人称小説」と呼んでいるが、これを発話者側から言えば、観察者には呼称がないので無人称小説であり、発話者は表面には出てこない。自分のことは一切述べない。声のみの存在であり、小説内世界のことを報告するだけの人物である。故に一人称小説に対し、無人称小説と呼ぶ方が適切ではないかと考えている。また、この観察者を筆者は透明人間と呼んでいる。画面には一切出てこないテレビカメラに似ている。無人称人物が述べる小説の一部を次に挙げておく。

午前十一時ごろ、筑後川は危険水位を突破した。赤い色をした奔流が両岸の堤防の高さいっぱいに満々とみなぎって押し流されていく。

日ごろ、岸の青草に牛を遊ばせているおだやかな川の姿とは打って変った形相だった。警戒に川岸に出ていた消防団員もあまりの悽愴さに息をつめた。—中略—

堤防が危ない、と伝わったとき、拘置所長は受刑者全部を隣接の地方裁判所支部の二階に移させることを決心した。

（松本清張「恐喝者」[3]）

ここに出て来る人物は、消防団員、拘置所長などとすべて三人称で呼ばれている。また、観察者の目は、筑後川全体の様子→消防団員の様子→拘置所内の様子（拘置所内へ）と移っていく。一人称では到底出来ない。無人称人物だからこそ小説内世界を広く見渡せ、また、移動が簡単にできるのである（観察者にはそのような超能力が与えられている。カメラなら、何台もその場所においておかなければならないだろうが）。

ところで、今述べたように、三人称小説での無人称の発話者は、普通の人間は持てない特別な能力が与えられている。しかも、その与えられ方が、それぞれ観察者によって違う。観察者が三人いて、それぞれが持っている超能力が違うのである。

一人は、主人公に寄り添ったり、中に入ったりして、拡声器のように主人公の見るもの、行うこと、感じたり、思ったりしたことを外に向かって述べるのである。ただ、主人公のことに関してのみ、外部から見て表現できる。例えば、主人公には見えない背中の様子なども表現できるのだが、ほとんど一人称と同じで、主人公が自分のことを見つめるもう一人の自分を設定して、彼・彼女が述べているような形で述べているとも考えられる。一人称の主人公の呼称を、孝夫は、とか詩織は、とかにしているだけの三人称小説とも言えるのである。このような観察者が発話した小説を一人称的三人称の小説と筆者は呼んでいる。通称「誰々の視点」と呼ばれる。

二番目の観察者は、ほぼ普通の人間と等しいのだが、ただ、移動する能力だけが超能力で、どこへでも移動できる。その他は普通の人間とほぼ等しいので、登場人物の内面はわからない。ただ想像するだけである。このような無人称人物が述べる小説を三人称客観視点の小説と呼んでいる。通称「劇の視点」とも呼ばれる。観察者や読者は劇を見ている人間とよく似ているのでそう呼ばれるのである。ビデオカメラにも似ている。

三番目の観察者は、どこへでも移動できるし、登場人物の誰の内面にも入ることができ、その人になって、もの・ことを見、表現することもできる。このような超能力者によって描かれる小説を三人称全知視点の小説と呼んでいる。通称「神の視点」とも呼ばれる。

さて、視点という言葉が多く出てきたが、ここで、視点とはどういうものか、また、今まで述べてきた発話者とどのような関係にあるのかを説明しておきたい。

今までは、発話者という虚構的人物が、彼の感知、認識したことを述べるという形で小説は書かれると説明してきた。そこで、次のような文章があるとしよう。

遠くから、調子の悪そうなエンジン音が響いてきた。無理して坂道を上って来ている様子が、その音から感じられた。

「来たみたいね、黒田さん」

晴美の呟きに、麻美はいったいどんな人物なのか興味を持ち、窓際に立った。

（三崎亜記「送りの夏」④）

ここでは、麻美という人物の五感を通して、エンジン音や晴美の会話を認識し、さらに、それに触発されて自分の心の様子をも認識し、それを麻美の言葉で述べている。

実際には、我々がものごとを認識する場合、外部の様子は五感を通して、自身の行為は身体感覚を通して、内部は意識を通して知覚し認識していく。それらを整理、統合し、意識化し、誰かに伝達するために発話する。しかし、それでは小説の構造を考える上では複雑すぎるので、もっと単純に考えようとして、外部や身体のことや内部を知覚認識し、それらを整理、統合し、発話する機関として視点というものを仮設する。「送りの夏」では「麻美の視点」（一人称的三人称の視点）から描かれているとする。つまりこれは、知覚、認識し、それらを発話するところを点としてとらえ、その一点において全て知覚、認識、発話が行われると考えるのである。モデル的に考えるなら、まわりのことや自身のことを写しとり、さらにそれを言語化し、発話さえもできる「超能力付きビデオカメラ」のようなものを視点と呼ぶのである。小説内世界のすべてがその点を通して認識し発話される。逆に言うと、小説内世界はその点を通して現れてくると考えられる。

これを小説の人物との関係で言うと、発話者はその点を持っていると考えられ、逆に言えば視点を持っている人物が発話者であると言える。また、その人物を視点人物とも言う。

いちいち、虚構人間が述べる（発話する）と考えるのが煩わしいので、このような虚構的な点を考えて、作者がこの点から小説内世界を描くと考えることにしている。

ただ、小説内世界を述べる（発話する）人物は、前章で述べたように、登場人物の一人であったり、観察者の超能力者であったりといろいろだったように、視点も、それと呼応させて、一人称視点、一人称的三人称視点、三人称客観視点、三人称全知視点などといろいろある。

小説を書く場合、まず、これらの視点（または、発話者）を決めなければならない。そうでないと、小説は書けない。その主要な視点（主要な発話者）には四種類考えられる。これについて事例を挙げて説明したい。ただし、一人称視点（一人称の発話者）の事例は、すでに前出の花房観音「藪の中の情事」[②]で挙げているのでそれは省き、無人称視点の三種類の事例をのみ説明する。

まず、一人称的三人称視点の事例から。

彼は前に坐っている女を、さっきから確かめるような目つきでみていた。茶色いオーバーを着た女の顔は、**彼**がおぼえている三番目の継母にまったくよく似ていたからである。―中略―

女が横をふりむいたので、**彼**はもう一度念入りに女の顔をみた。きわだって眉毛が短くぷっくりとふくれた頰。女はこうも変らないものだろうか。それからほぼ三十年近く経っている女の年を数えてみて、**彼**は苦笑した。いくらなんでも目の前の女は若すぎることに気づいたのだ。

（井上光晴「似た男」[5]）

注（----は注目すべき箇所、〰〰は視点提示語、ゴシック文字は呼称を示す。傍線、ゴシック文字は筆者）

主人公を「**彼**」と呼んでいるのだから、主人公をそう呼ぶ人物がいるはずである。しかし、姿、形を見せない透明人間・無人称観察者だが、小説内世界にいる一人の人物にくっついている観察者（視点）である

そこで、「彼」を「私」におき換えてみると次のようになる。

私は前に坐っている女を、さっきから確かめるような目つきでみていた。茶色いオーバーを着た女の顔は、**私**がおぼえている三番目の継母にまったくよく似ていたからである。―中略―

女が横をふりむいたので、**私**はもう一度念入りに女の顔をみた。きわだって眉毛が短くぷっくりとふくれた頰。女はこうも変らないものだろうか。それからほぼ三十年近く経っている女の年を数えてみて、**私**は苦笑した。いくらなんでも目の前の女は若すぎることに気づいたのだ。

全くと言っていいほど違和感がない。そのはずである。この視点は、私の行為や内面をそのまま発話しているだけの視点だからである。一人称とほぼ同じである。「彼」と呼ばれる一人の登場人物の視点

で描かれている、と考えてもいいほどである。

しかし、ただ一点、「私」では表現できないことを表現している。それは「確かめるような目つきでみていた」である。「私」からは「自分の目つき」は見えない。第三者によってしか見えない。それに、「私は〜ていた」も変である。「〜ていた」は後ほど説明するが「視点提示語」で、見る対象は視点の位置から離れていることを示す。したがって「私は〜を見ていた」においては、自分自身から離れたところから自分を見ていることになる。それは夢か妄想の中の私を実の私が見ているか、それとも、自分を見つめるもう一人の自分を設定して、その自分が自分の今の行為を見ているかのいずれかである。自分自体の行為を自ら示すためにはけっして「見ている」は使用できない。したがって、ここは「私は前に坐っている女を、確かめるように見た」と描かなくてはならない。このように、一人称と一人称的三人称は僅かな違いがある。しかし、ほぼ一人称と考えていい。ここは「私」を、見る私と見られる私に分裂させ、見る私を観察者とし、見られる私を対象として彼と呼んでいる、ととらえるのが妥当であるだろう。

次に三人称客観視点を紹介する。

物堅そうな老紳士が、二十前と見える学生に向かい合って席をとった。学生の隣には、べつに目立ったところもない中年の女客が来て座り、ボックスの中は三人だけで、楽な旅行ができそうであった。

遅い準急列車が、上野駅を出た。

一言一言、簡単な言葉のやりとりがあって、老紳士のかばんを置いた空席に、女客の持ち物も載せられた。
学生は、ポケットからつまみ出したキャラメルの紙をむくときも、本から目を離さなかった。本は、受験用の参考書らしかった。
（永井龍男「マッチ」⑥）

駅で客の様子を見ている人物がいて（姿、形が見えない）、その人物が三人の人物（老紳士、学生、中年の女客）の様子を外から見て、述べている。

つまり三人の様子がよく見えるところに視点人物がいて、三人のことを認識し、表現し、小説内世界を現出させている。だが、姿、形を見せない。自分のことは一切表現しない観察者である。しかし、普通の人間と同じなので、外部の見えるもの・ことしか描写できない。内面はわからない。

もう一つ三人称客観の例を挙げておこう。

彼女は寝室の中に二、三歩進み、大きなタンスに近づいて、その最上段の引出しをあける。それから引出しの右側にはいっている紙片を動かし、その上に身をかがめる。底をもっとよく調べようとして引出しを手前にひく。もう一ぺん調べ直すと上体を起し、肱を身体につけてじっとしている。折りまげた左右の前腕は、上体に隠されているが、疑いもなく一枚の紙片を両手に持っているのだ。
眼を疲れさせずに読もうとして、いま彼女は、光の方に向きを変える。傾けた横顔はもう動かない。紙片は、たいへん薄い青いろをしていて、普通の便箋の大きさである。四つ折りにしたらしい跡がそこにはっきりとついている。
A（彼女の名前）は、それから、手紙を手にしたまま引出しを押しもどし、小さな仕事机の方に進んでゆく。

（アラン・ロブグリエ『嫉妬』⑦）

最後に三番目の三人称全知の視点を紹介する。少し長いが、全知なので致し方がない。辛抱して読んでもらいたい。

（引用までのあらすじ*会社はすでに台風に巻き込まれている。だが、四人の社員はひと部屋に居残っている。次期役員の呼び声の高い部長が、会社が募集しているイベントの企画にいち早くプランを提出するために、部下に「そのプランを明日までに仕上げよ」と命じ、自らは台風が来るからといって帰ってしまう。会社に残された部下たちは怒り狂いながらも仕事をせざるを得ない。以下は、その様子を描いた部分である。なお---のところが内面も書いているところ、黒文字も筆者記）

江畑稔（**江畑稔の視点**）は四人の中で唯一人の独身者だったたし、唯一人の高卒者だった。やはり俺はこの学卒（大学卒）共と少し違うのだ、とその時彼は思った。本当は彼が伝えたかったのは、綿貫敬助は包茎に違いないという確信だったのだ。巨大な包茎というものは彼には考えられなかった。綿貫敬助の中にあるどこか残酷な幼児性は、その小さな包茎に根ざしているのだ、と常々彼は思っていた。――中略――時々低い声で話合いながら作業の中に身を沈め始めた三人の男の横から細い身体を浮かせた江畑稔は、ブラインドをおろされた窓へ近づいていった。この男達は今夜帰らないつもりなのだろうか。電車はもう止まってしまったのか。

接近する台風を前にして、もはや正常の番組を放送すること諦めてしまったかに思えるラジオが、投げやりなレコード音楽の合間に台風情報を叫び続けている。それはほとんど同じ内容の情報をただ繰り返すだけだ。

中心気圧、九四五ミリバール、進行方向―中略―

――どうしても、来るつもりのようね。（ここから**井関武男の視点**に変わる）

ラジオのボリュームを更にあげて**井関武男**は呟いた。縁無し眼鏡のレンズの局面が、そのまま額の局面になってゆるくウエーブする髪の生え際までせり上っている。紫外線除けの薄く色のついた眼鏡の奥でとび出した目が充血している。水は大丈夫だろうか。近くを流れるドブ川の水が玄関のドアの隙間からコンクリートのたたきに流れ込み、黒い水の上に歯のすり減った下駄が動き始める。六畳の押し入れには、又激しく雨が漏り出したのではなかろうか。―中略―

綿貫敬助に呼ばれた時、どうして俺は残業の指示を断らなかったのか。今夜中ですか、と俺はわざと声をたかめてききかえした。その時、安達平八の奴がいきなり「やりましょう」と頓狂な声をたてやがったのだ。―中略―井関武男には、今、自分が憎んでいるのは綿貫敬助であるのか、安達平八であるのかわからなかった。ラジオのボリュームを一気に上げた。破れたブリキを叩きつけるような割れた音が革で包まれたプラスチックの小箱から弾け、それは絶望的なリズムにのって部屋の中に飛び散った。

――展示会場に三角旗はいるかな。（ここから**安達平八の視点**に変わる）

窓際の机から、ラジオの音などまるで耳にはいらない静かな口調で**安達平八は**井関武男に向けて問いかけた。

――なに？　きこえない。

プラスチック製の音の箱を抱えたまま、井関武男が寄って来る。それはまだ小出しに爆発を続ける根気の良いダイナマイトの箱のようでもあり、先刻から明らかに見てとることの出来る井関武男の苛立ちをつめこんだ革袋のようにも見える。三角旗はいるかなあ、と安達平八は同じ声できき

かえした。

（黒井千次「闇の船」[8]）

無人称の観察者が、出てくる人物のすべての内面に入り、描いている。視点が、最初は江畑稔、次は井関武男、その次が安達平八へと移っていく。また、外部の描写は観察者の視点からか、それとも、視点がおかれた人物からかは不明。どちらともとれるが、前の文の視点を受け継ぎ、その位置からと考えた方が読みやすい。これが、三人称全知の視点である。非常に複雑な視点である。

以上、主要な視点についてのみ説明したが、それぞれの視点には変種がある。それらについては、後ほど章を改めて詳しく説明する。

2　視点の決定は、誰が、いつのことを、どこから発話するのか？　を決めること

——視点のあり方が小説のタイプを決める——

描写型・実況型か、回想型・物語型か

前章では誰が発話するかによって視点を分けた。これは誰の視点から小説を書くのかの問題である。しかし、視点の問題はそれだけではない。それらの視点は「いつのことを、どこから」発話するのかという視点のおかれている「時や場所」も問題である。これによって作品の描き方が大きく変わる。

このことを、最もわかりやすい一人称視点を例にして考えてみよう。

次の二つの文章を読み比べ、発話者・視点が今どこにいて、いつのことを述べているのかを考えて欲しい。

なお、以下の文章中にある〜〜部分は「視点の場所や、今のことを描写しているのか、それとも過去のことを思い出して語っているのかを提示する語句」を示す。例えば、次の文章にある「いる」「私」によって視点は一人称（今）視点・描写型小説であることがわかる。この場合、何人称かはすぐにわかるので、視点の「時・場所」を問題にする場合のみ、それがわかる語句の横に〜〜をつけ、そのような語句を視点提示語、視点提示部分と呼ぶことにする。ただし、書き手はそれを取り立てて意識する必要

はない。視点をしっかりと意識して描けば、視点提示語・部分は自ずと出てくるものである。

①　何かとても怖い夢を見たように思った。

そっと目をひらき、両膝を押しつけていた顔を上げると、濃い緑色をした蔦のような植物の葉が、視界いっぱいに広がった。葉は周囲の石壁をびっしりと覆っている。ところどころにあいた隙間から、くすんだ黄土色の石肌が覗いていた。壁は平面ではなく局面で、ぐるりと周囲を一まわりし――つまりそこは円筒形の壁に囲まれた場所なのだった。

そう広くはない。私が背中を寄せている壁から、反対側の壁までは、ほんの二、三十歩ほどの距離しかなさそうだ。

（道尾秀介「病葉⑨」冒頭）

②　その頃、街の風物は、私にとってすべて石膏色であった。長くポールをつき出して、ゆっくり走っている市街電車は、石膏色の昆虫だった。地面にへばりついて動きまわっている自動車の類も、石膏色の堅い殻に甲《よろ》われた虫だった。

そういう機械類ばかりでなく、路上ですれちがう人間たち、街角で出会いがしらに向い合う人間たちも、みな私の眼の中でさまざまの変形と褪色をおこし、みるみる石膏色の見馴れないモノになってしまった。

（吉行淳之介『鳥獣虫魚⑩』冒頭）

①の「病葉」の文「葉は周囲の石壁をびっしりと覆っている」というのは、まさに主人公が今見てい

るものを即座に発話している文である。「思った」「広がった」は過去と現在完了の違った意味があるので、現在か過去かは不明である。だが、「覆っている」は現在形である。この文が現在形であれば、それ以前も、以後も「～た」はすべて現在完了およびその存続となり、発話している人（発話者）は、起こっていることとほぼ同一の時間内にいることになる。つまり「ライブ」で発話しているのである。視点の観点から述べれば、視点は「こと・もの」の生起と同じ時間、同じ場所にあって発話しているということになる。筆者はこのことを発話者が今現場にいる。視点も今現場にある、と呼んでいる。そして、このような作品の描き方を「描写型」と呼んでいる。テレビを例にすれば、NHKの番組「世界ふれあい街歩き」に似ている。「世界ふれあい街歩き」は手にカメラを持ち、主人公が街を歩きながら辺りの様子を映し、感想を述べ、出会う人と会話をしていくといったもので、「描写型」は作品「病葉」のように主人公が今見えるもの、今することを即座に言葉で表していくといったものである。ただし、この発話者が主人公（登場人物の一人）ではなく、外から眺めている観察者の場合もある。つまり観察者が今眼前で行われている「こと・もの」を述べる場合、筆者はこれを「実況型」と呼んでいる。ラジオの実況放送に似ているからである（これは小説ではきわめて少ない）。

前掲の②「鳥獣虫魚」だが、これは「病葉」とは違う。述べられているのは今生じていることではない。すでに生じ終わった過去のことである。それがわかるのは冒頭にある「その頃」という言葉によってである。これが今ではなく、過去のことだったということを示している。したがって「私」はすでにその出来事を体験し終わっていて、それを後ほど思い返して述べているのだと言える。この場合、認識時間と叙述時間がずれる。発話者が叙述する場所は、普通、机の前（または伝える他者の前）にいる。

つまり回想場所にいる。述べる事象、出来事のすべてが終わった後である。

発話者（視点）が出来事の終了時間後にいるのは回想型と物語型の二種類である。回想型とは一人称視点、または一人称的三人称の「私＝主人公」が自己の体験を回想して述べるもので、それに対し「物語型」とは観察者が、すでに自分が見知った他者の出来事を述べるものである。

回想型の事例はすでに「鳥獣虫魚」で示しているので、物語型の事例を次に示すことにする。

東京都江東区高橋二丁目の警視庁深川警察署高橋第二交番に、同町二ノ三所在の簡易旅館「片倉ハウス」の長女片倉信子がやってきたのは、平成八年（一九九六年）九月三十日午後五時頃のことであった。

この交番では、駐在の石川幸司巡査が、自転車の盗難を届け出てきた地元の城東第二中学一年田中翔子に対応し、盗難届けを作成していた。片倉信子と翔子は城東二中で同じバスケットボール部に所属しているのだが、この日、信子は病欠の届けを出して部活動を休み、早く帰宅していた。田中翔子はそれを知っていたので、信子を見かけると、ひどく狼狽《ろうばい》した。

もしも練習をズル休みしたのであれば、それは信子ひとりのだけの問題ではなく、露見すれば一年生部員全体が連帯責任が問われることになる大事だ。

（宮部みゆき『理由』[11]冒頭）

「同町二ノ三所在の簡易旅館『片倉ハウス』」などとよく知っていて、しかも、「交番では、駐在の石川幸司巡査が、自転車の盗難を届け出てきた地元の城東第二中学一年田中翔子に対応し、盗難届けを作成していた」などと表現できるのは、田中翔子ではなく、「三人称全知」の観察者以外には考えられない。それに、「長女片倉信子がやってきたのは、平成八年（一九九六年）九月三十日午後五時頃のことであった」という表現は、すでに、今が「平成八年（一九九六年）九月三十日午後五時頃」ではなく、それは過去の日時であることがわかる。今のことを述べるのなら、このような詳しい日時は表現しない。なぜなら、今ならば、発話者も、それを聞く人も同じ日時にいるのだから、そのような日時をわざわざ告げる必要はない。『片倉ハウス』の長女片倉信子が警視庁深川警察署高橋第二交番へやってきた」と書けばいいことである。「やってきたのは」という表現で、すでにその日が過去の日であることがわかる。過去に起こった出来事のすべてを見知っている全知の観察者がそれを思い出して述べているのだ。この書き方は「物語型」の典型である。

作者は、このように、小説内世界で今生じている出来事を今描く形にするか、すでに生じてしまった過去の出来事を今思い出して描く形にするかを決めなければならない。つまり描く内容の時間が重要である。視点や発話者が発話するのはいつも「今」であるが（叙述時はいつも今）、発話者や視点のいる場所や描く事柄が生じた時間が違う。場所は今のことを描く場合は「現場」であるが、過去のことを描く場合は、「叙述場所」（机の前）である。

なお、小説の文章には、発話者が「今・現場」にいて（視点が「今・現場」にあって）今生じている出来事を今発話するのか。それとも、発話者が「叙述場所」（机の前）にいて（視点が叙述場所にあって・机の前にあって）「過去に生じた出来事」を今、思い浮かべて発話するのかをわからせる言葉がある。筆者はそれを前述したように「視点提示語」と呼び、また、それらを示す必要のあるときは、その語に

〰〰をつける。なお以後、認識や発話の機能のみで事足りると思われるときには「視点」を使う。しかし、発話者と視点は、さまざまな点において同一である。さらに、これも前述したように視点から小説内世界が出現してくるとも考えられる。

3　過去のことを、途中で今起こっているように描いてもいいのか？
――過去のことを描くときの、歴史的現在と描写的現在について

前節の物語型の事例として採り挙げた宮部みゆきの『理由』[11]の冒頭は次のように描かれていた。「東京都江東区高橋二丁目の警視庁深川警察署高橋第二交番に、同町二ノ三所在の簡易旅館「片倉ハウス」の長女片倉信子がやってきたのは、平成八年（一九九六年）九月三十日午後五時頃のことであった」この書き出しで、これから述べられることは全て平成八年（一九九六年）九月三十日午後五時頃という過去のことであることがわかる。つまり観察者が見知った過去のことを描く「物語型」の小説で、主に「語り」で述べられるということである。この後、「片倉ハウス」の紹介があったり、祥子たちの部活の説明があったりした後、次のような文章が続く。

片倉信子は、派出所の入り口から二メートルほど離れたところに立ち、ためらうような様子を見せている。田中翔子は気づかなかったふりを決め込むことにして、石川巡査の方に注意を戻した。しかし信子は立ち去らない。なにをぐずぐずしているのだと、翔子はやきもきしているうちに、石川巡査が信子がそこに居ることに気づいてしまった。

――中略――

「ノブちゃん、どうした」と石川巡査は声をかけた。「なんか用かい？」

巡査の親しげな口調に、田中翔子は彼と片倉信子の顔を見比べた。信子はまだ派出所の手前でもじもじしている。そりゃそうだ、決まり悪いだろうと思って、翔子は腹が立ってきた。

「ノブちゃん、こっちへおいでよ」と、彼女は声を張り上げた。「バレちゃったもん、隠れようがないじゃない」

「あれ、友達なのかい」と、石川巡査は訊いた。

「バレたって、何だ？　何がバレた」

翔子は事情を説明した。巡査は笑い出した。

「する休みはよくないな、ノブちゃん」

「あたしたちまで一緒にランニングで校庭十周のバツだよ」と翔子は口を尖らせた。

「お巡りさんが黙っていてくれたらいいんだけど」

「そうはいかないなあ。俺は警察官だから」

石川巡査は切り返したが、片倉信子は相変わらず押し黙ったまま̃うつむいている。その顔色に、巡査はふと普通でないものを感じた。

（宮部みゆき『理由』[11]）

「片倉信子は、――中略――ためらうような様子を見せている」というところの「見せている」は現在形で、平成八年（一九九六年）九月三十日午後五時頃という過去のことを述べているのに、現在表現を使い、現在のこととして述べている。しかし、その現在とは「平成八年九月三十日午後五時頃」である。さらに「信子はまだ派出所の手前でもじもじしている」「押し黙ったままうつむいている」と現在形が続く。視点が現在にあることになり、以後の「〜た」や「会話」はすべて、今を示すことになる。したがって、出来事はすべて今生じていくこととして描かれている。ただ、「なにをぐずぐずしているのだと、翔子はやきもきしているうちに、石川巡査が信子がそこに居ることに気づいてしまった」は、出来事を写すように描いているのではなく、簡潔に要約して描いているし、「その顔色に、巡査はふと普通でないものを感じた」と、石川巡査の内面も描いている。したがって、これは田中翔子の視点で描いているのではなく、観察者の視点で描いた三人称全知（今）視点の発話である。冒頭の説明は「過去のこと視点」だったのに、ここでは（今）視点に変えられている。このように過去のことを描くのに、途中、過去のことではなく、今のこととして描くことも可能である。

これはスポーツニュースで、すでに終わった野球や相撲などの結果を述べている最中にビデオで撮った様子を入れると、そこのところだけ現在の様子を見ているように思われる。それとよく似ている。さらに、後ほど詳しく説明するが、過去を現在的に描く方法には二種類あるが、事例として示した作品「理由」の「今的描き方」は「歴史的現在」というもので、「描写」とよく似ているが、それとは少し違う。

もう一つは、回想における「今的描き方」の例を挙げてみよう。有名な、志賀直哉の「城の崎にて」[12]の冒頭部である。

山の手線の電車に跳飛ばされて怪我をした、その後養生に、一人で但馬の城崎温泉へ出掛けた。背中の傷が脊椎カリエスになれば致命傷になりかねないが、そんな事はあるまいと医者に云われた。二三年で出なければ後は心配はいらない、兎に角要心は肝心だからといわれて、それで来た。三週間以上――我慢できたら五週間位居いたいものだと考えて来た。

頭は未だ何だか明瞭《はっきり》しない。物忘れが烈しくなった。然し気分は近年になく静まって、落ちついたいい気持がしていた。稲の穫入れの始まる頃で、気候もよかったのだ。

一人きりで誰も話相手はない。読むか書くか、ぼんやりと部屋の前の椅子に腰かけて山だの往来だのを見ているか、それでなければ散歩で暮していた。

（志賀直哉「城の崎にて」⑫）

注　ここでの傍線は次のようなことを表す（傍線は筆者）。

――(過去のことを述べている。「城崎温泉から帰ってきて何年か経ったあとの机の前。「叙述場視点」)。

- - -(今生じていることを今述べているか今説明しているところ。視点は「城崎温泉」「現場視点」)。

＝(今のことも過去のこととどちらとも言える。視点位置不明である。移行をスムーズにしている語句)。

〜〜(視点の在りかを示す語＝視点提示語)。

「山の手線の電車に跳飛ばされて怪我をした、その後養生に、一人で但馬の城崎温泉へ出掛けた。」の「出掛けた」はすでに自分はあるところへ行ってきたことを示す語である。こういう「視点」の位置や発話する出来事の時を示す語を前述したように筆者は「視点提示語」と名付けている。この語で、怪我をしたのも、城崎温泉へ行ったのも過去のこと、私の経験済みのことであり、それを思い出して机に向かって書いているのだということを示す。

書き出しが過去のことであれば、当然、次のことも過去のことだと思われる。視点は普通、続くのである。したがって、「兎に角要心は肝心だからといわれて、それで」までは過去のこととしてとらえる。ところが「それで来た」とある。「来た」も「視点提示語」であり、視点は城崎温泉にあることを示す。視点は「現場」にあり、発話者は城崎温泉で述べていることになる。つまり過去のことを現在化した形で描かれている。その後も「三週間以上――我慢できたら五週間位居たいものだと考えて来た」と城崎にいる視点で描かれている。つまり現場視点である。したがって、次の文も当然「現場視点」で書かれ、今の様子が書かれているものだと思われる。したがって「頭は未だ何だか明瞭《はっきり》しない。物忘れが烈しくなった。然し気分は近年になく静まって、落ちついたいい気持が」までは当然現在に視点がおかれ、今の様子として描かれていると思われる。ところが、次の文末は「していた」とある。これも視点提示語で、視点は「今、城崎温泉」にはなく、このことを思い出している机の前にいることになり、城崎温泉のことを思い出して、あのときは「気分は近年になく静まって、落ちついたいい気持ちがしていた」と過去のこととして描いている。そしてさらに次の文「一人きりで誰も話相手はない。読むか書くか、ぼんやりと部屋の前の椅子に腰かけて山だの往来だのを見ているか、それでなければ散歩で暮らしていた」のところまで過去のことを思い出して描いている。ここにも、机視点を提示する「ていた」が使われている。

この二つの例からわかるように、視点が現場と机の前を行き来している。つまり過去のことを過去のこととして描きながら、必要に応じて、今、現在のこととしても描けるのだ。原則、回想型、物語型のどちらにしても、重要なところは、現在として描くべきである。スポーツニュースでも、印象深いところはそのときのビデオを流すのと同じだ。

しかも、上手な書き手は、その移動をスムーズに行いながら、しかも移動したことがわかる視点提示語をしっかりと書き込んでいるのである。

ところで、このように、過去のことを描きながら、途中で現在化した文章で描くことは歴史的現在と呼ばれてきた。辞典によると、「歴史的現在」とは「過去に起こったことを生き生きと描写するために、今、目の前で行われているかのように現在の時制で書き表す表現法」(『大辞林 第三版』三省堂)「(新美辞学・島村抱月)凡て過去に属せる事柄を現時目前にあるが如く書きあらわすの謂なり」(『精選版 日本国語大辞典』小学館)とある。

しかし、この「過去に起こったことを生き生きと描写するために、今、目の前で行われているかのように現在の時制で書き表す表現法」にも、綿密に考えると、二種類の違った表現法があり、表現が微妙に違ってくる。

一つは、視点が机の前にあって(発話者が机の前にいて)過去の出来事をありありと思い出し(例えばビデオの映像のように)、それを写すように発話するという、過去を現在化する方法である。これを筆者は「歴史的現在」と呼んでいる。頭に浮かべているイメージが現在的であり、それを写すのだから現在的になる。しかし、現実そのものとは違う。途中でビデオを止め、解説を入れ、その後で、以前の続きの映像を映すことだってできる。これと同じように、現実的な表現の中に容易に解説を入れたり、事象の要約を入れたりできる。肝心な所だけを現実的に描き（ビデオを回し）、あとは要約して終える。そういう表現もできる。『理由』はこれである。それに対し、タイムマシーンによって、視点を過去に飛ばし（出張させ）視点が「今」にいることにして、小説内世界を描写する形で描く方法がある。つまり「現場視点」で描く方法である。「城の崎にて」はこれである。筆者はこれを「描写的現在」と呼ぶことにして「歴史的現在」と区別している。その例をさらにもう一つ挙げてみる。


その夜も、正面の玄関からではなく地下駐車場に降りて、裏階段を昇ろうとしたとき、階段の昇り口に近い駐車場の隅に立っている人影を認めて足をとめた。その足許に壁にもたれて蹲っているもうひとつの影もある。ヘルメットからブーツまで、黒ずくめの姿だ。—中略—

「どうしたんだ。体の具合でも悪いのか」

私は長身の少年の横に立って、蹲っている小柄な少年を見下ろして、そう声をかけた。

長身の方は反射的に身を引いて、風防越しに私を見すえた。よくは見えないが、警戒的な眼差しだ。

蹲っている方ものろのろと頭を起こした。少年とばかり思ったのに、それはあどけないといってい い少女の顔だった。—中略—

「わたしはこのマンションの住人だ。もし友達の肩につかまって階段を昇れるようだったら、私の部屋で休ませてあげる。こんなコンクリートの床に坐りこんでいたら、いよいよお腹が冷えるだけだ」

—中略— 見知らぬ他人を部屋でやすませてやるなんて、柄にもないことをしたものだ、と後悔めいた気もした。

だが心の奥にかすかだが執拗に揺れ動くものがある。あの黒ずくめの異様な格好、陰湿ではない生き生きした感じには、私の中に日頃意識しない部分を微妙にゆするものがある。

（日野啓三「裏階段」⑬）


「その夜も」で、これから述べられることは過去の出来事であることが示される。ところがそのすぐ後に「影もある」と現在形で描かれている。過去のことならば「影もあった」と描くべきだろう。この文末から、視点はすでにタイムスリップして現在にあることになる。さらに、以後の表現に、現在と矛盾する文末は一切ない。「〜た」が多用されているが、それらはすべて今を示す現在完了および持続を示す助動詞ととらえることができる。さらに、「揺れ動くものがある」「ゆするものがある」と現在形がつづく。これはまさに視点が叙述場所から現場へと移動し、過去のことを今生じていることとして「私」の視点から「描写」で述べられているのだ。このような述べ方を前述したように筆者は「描写的現在」と名付けている。

以上の二つの方法をさらに明確化するために、筆者が同一の出来事を二つの方法で描いてみる。まず「歴史的現在」で描くと次のようになる。ただし、この表現がなされる前の出来事は全て過去のこととして描かれている。


伊丹と時枝刑事総務課長は机をはさんで向かい合って立っている。

「冤罪だって……」と驚いた顔つきで伊丹は時枝刑事総務課長に言う。

時枝は緊張した面持ちで答える。

「はい、今し方、方面本部から連絡が入りまして……」

それを聞いた伊丹はたちまち憂鬱な気分になる。冤罪となれば、マスコミが鬼の首でもとったように騒ぎ立てるにちがいない、いつもそうだから、と伊丹は思う。

「どこだ？」と尋ねる。

「第三方面本部、碑文谷署です」と時枝が答える。

「詳しく話してくれ」

伊丹は聞きたくもなかったが、そうもいくまい、刑事部長なのだから、報告を受けておく責任がある、と思ってさらに尋ねる。


（今野敏「冤罪⑭」の表現を一部変えた）

現在的に描くとしても「歴史的現在」の場合、視点が叙述場所にあるので描く対象と発話する視点との間に距離があり、「現場」に視点をおく「描写的現在」とは傍線のようなところが違った表現となる。「向かい合って立っている」とか「……で答える」とか「それを聞いた伊丹は」とか「と伊丹は思う」など、やや説明的になっている。また、伊丹ではなく、視点人物の言葉で書かれるところも出てくる。「向かい合って」とか「驚いた顔つきで」とかがそうである。次の「描写的現在」と比べてほしい。

これを「描写的現在」で描くと次のようになる。


「冤罪だって……?」

伊丹は、机をはさんで正面に立っている時枝刑事総務課長を見つめた。

時枝は、緊張した面持ちだ。

「はい、今し方、方面本部から連絡が入りまして……」

伊丹はたちまち憂鬱な気分になった。冤罪となれば、マスコミが鬼の首を取ったように騒ぎ立てるだろう。

「どこだ?」

「第三方面本部、碑文谷署です」

「詳しく話してくれ」

聞きたくもなかった。だが、そうもいくまい。刑事部長なのだから、報告を受けておく責任がある。


(今野敏「冤罪⑭」、原文のまま)

過去を「描写的現在」で描くと、説明調が全くなくなり、描写で描くことになる。それに、「〜と思った」などは省かれ、対象と視点の距離が近くなったり、対象人物の中に入ったりする。故に、それを示す語句や文末が使われる。〜〜の部分はそれらを示す。

ところで、過去のことを過去のこととして書いていて、途中で「歴史的現在」に変える場合は、視点・発話者は常に机の前にいて、視点の位置を変えない。故に、概括的表現がたくさん入ってくる。筋運びが早くなる。つまり印象的なところだけ歴史的現在で描き、そうでないところは概括的表現で済ますという形になる（概括的表現とは、生じたことの抽象度を上げ要約的に述べること。例えば「新幹線で東京に行った」や、いつもこうしているといった統括的表現などのことを言う）。

それに対し「描写的現在」は「描写型」の場合と同じで、概括的表現はほとんど使わない。したがって、さして重要でない「運び」のところも省略せずに「描写」で書くことになる。山の部分のみを書くことができず、谷の部分も描写しなくてはならない。したがって、スピード感は落ちる。ただし、よりイメージがはっきりし、臨場感を出せるのがメリットである（「城の崎にて」のように現場に視点をおいて、そこから過去を要約したり概括したりもできる）。

ただし、回想型や物語型で描く場合、現在化して描く方法はこのように二種類あるが、そのうちどちらかに統一することが必要である。あるところは「歴史的現在」、あるところは「描写的現在」とばらばらに使ってはいけない。

以上で視点の典型的な事項についての説明は終えるが、主な視点の種類だけをまとめてみると、次のような八種類があることになる。

一人称（今）視点（描写型）
一人称（過去のこと）視点（回想型）
一人称的三人称（今）視点（描写型）

一人称的三人称（過去のこと）視点（回想型）
三人称客観（今）視点（実況型）
三人称客観（過去のこと）視点（物語型）
三人称全知（今）視点（実況型）
三人称全知（過去のこと）視点（物語型）
（ゴシック文字の視点がよく使われる視点）

書き始めの人は、一人称（今）視点（描写型）、一人称（過去のこと）視点（回想型）、一人称的三人称（今）視点（描写型）、一人称的三人称（過去のこと）視点（回想型）で書くことを勧める。これらは、今まで書いてきた「作文」によく似た書き方で、作者にとっては一番書きやすい視点だからである。ただし、書く人は作者ではなく、虚構人物の「私」「僕」であり「太郎」「花子」である。このことは肝に銘じておいて欲しい。

4　視点でよく起こすミス
――視点はいったん決めたら最後まで変えないこと

さて、これまでの締めくくりとして、視点でよくするミスを二、三指摘しておきたい。まず、次のような書き方をついしてしまう。気をつけて欲しい。

ある朝「おおい、大将、生きとるか」と爺様の間延した声が聞こえた。私は飛び起きる。また、妻や子らを起こしそこねた。

窓の外を眺めると、雨が降り注いでいる。庭の木々も濡れている。私はあくびをしながら玄関を開ける。

「生きとったか、とんと姿を見せんもんで、どうかなっちまったかと思ったぞ」

爺様を見て、相変わらず、傘もささないで来たことを知る。

「雨の中、傘もささないで」と言う。

「わしは傘は嫌いじゃ、おてんと様にわるいけん」

そういえば、昨日の天気予報で、朝方、にわか雨があるかもしれないが、すぐに止むと言っていた。

爺様はそれを見越していたのか。すでに雨は止んでいた。

（浅田次郎『獅子吼⑮』を一部改悪）

冒頭に「ある朝」とある。これは視点提示語で、過去のある朝のことを思い出して書いていることを示す。つまり視点が机の前にいる「一人称（過去のこと）視点・回想型」の小説であることを示す。ところがその後の視点提示語はすべて主人公が、今、現場にいる「一人称（今）視点」である。もちろん、「ある朝」と言って、すぐに現場に視点を飛ばして「描写的現在」として書いたとも考えられるが、それなら、最初からどうして「一人称（今）視点」で書かないのかと思ってしまう。読者はこの出来事は過去のことなのか、今のことなのかと迷ってしまう。それに、「ある朝」と「昨日の天気予報」の二語は矛盾する。もしこれが「回想型」なら「前日の天気予報」と書くはずである。もし、このように、「ある朝」の後、すべて現在視点で書くのなら、この話は過去のことにする必要はない。「ある朝」はとるべきである。

このように、「ある日」とか「その朝」とか「あの時」とかを冒頭に持ってくるときはくれぐれも注意が必要である（前節の日野啓三「裏階段⑬」で、段落の最初に「その夜も」とあるがこれは作品途中で使われている「その夜も」などで、段落の最初に持ってきても可）。

また、次のような間違いもよくする。

私は、家業の印刷所が今日は休みなので、夫の英二が入院している病院を訪れた。病室に入ると、英二はベッドから少し身体を起こして言った。

「どうだ、商売の方は？」

「まずまずです」と私は答えた。

「女手でよくやってくれるね」

「あなたがお留守だから一生懸命ですわ」

英二に書類を渡すと彼はそれに眼を通して言った。

「有難う。おれがいる時よりは成績がいい」

竹沢英二は印刷所を経営していたが、結核を患い、二年近く療養所にいる。だが、病状は一向に快くならなかった。入所患者にすすめられ、俳句雑誌に投稿したりして、一時期、句作に熱中したこともあったが、近ごろはそれにも飽いてきた。恢復希望が薄れてくると、療養生活には倦怠と絶望を感じるばかりである。

療養所は、海近くの松林の中にあったが、東京からは二時間も要する。彼の妻は、月二回ここを訪れることにしていた。

彼らにとっては商売の話は一つの愉しみであった。たいしたもうけではないが、赤字よりは明るかった。

「おれも、お前のお陰で、左うちわでベッドに寝ていられるわけだ」

英二は枕につけた顔を捻って、横で果物を剝いてくれる私を満足そうに見ていた。

（松本清張「二階」の冒頭部分を改悪。清張の作品は三人称全知（今）視点である）

この表現の視点は「一人称（今）視点」である。私が病室にいて、今生じることを即座に述べているのだ。ところが、「竹沢英二は印刷所を—中略— 赤字よりは明るかった」までのところの視点は三人称全知（今）視点に変わっている。「近ごろはそれにも飽いてきた。恢復希望が薄れてくると、療養生活には倦怠と絶望を感じるばかりである」と、英二の内面までわかっているように描いている。一人称「私」の視点では、このような英二の内面は描けない。また、「竹沢英二は」とあるが、ここは「夫の竹沢英二は」とすべきである。

このように冒頭近くで、主人公や中心人物の説明を入れる場合は特に注意を要する。一人称視点、一人称的三人称視点の場合は、途中でこのような詳しい説明を入れないほうがいい。状況はそれとなく描写の中に入れて、読者にわからせるような工夫をする必要がある。例えば次のように変えれば、解説がなくても「描写」だけで状況がわかる。

　私は、夫の英二が入院している療養所にようやく到着し、三階に上がり、廊下の窓から外を眺めた。まわりには松が何本も見え、その松林が海の方へと広がっていく。東京から二時間も掛ければ、このような静かなところにこれるのだ。
　夫がここへ入ってからもう二年が経つ。夫の結核が早く治ればいいのに。でも、夫は以前、入院患者の一人に勧められて、熱心に句作をしていたのに、近頃は俳句のことは言わなくなった。どうも飽きたようだ。月に二回、ここに通ってきているのだが、最初の頃と比べて、生気もなくなってきたように思う。病状がいっこうによくならないので、夫はもう自分は治らないのではないかと思い始めたのではないか。

景色を見るのを止め、私は扉を開けて病室に入った。夫の英二はベッドから少し身体を起こして私を見るなり、

「どうだ、印刷所の方は？」

と早速言った。夫はきっと商売の話をするのを楽しみにしていたのだ。

「まずまずです」と私は答えた。

「女手でよくやってくれるね」

「あなたがお留守だから一生懸命ですわ」

英二に書類を渡すと彼はそれに眼を通して言った。

「有難う。おれが経営していた時よりは成績がいい」


（松本清張「二階」の冒頭部分を改作）


このように描くと、説明部分がなくなる。

さらに次のような冒頭部があったとすると、この表現にも問題がある。引用が長いが、最後まで読んでもらいたい。


村田直樹は、突然放課後の教室のドアを開けて入ってきた。その開け方は少し乱暴だった。正治

は椅子に座って明日の授業の計画（もしこの文章が回想の文章ならばここは次の日の授業計画と書くだろう）を立てていたのを慌てて止め、姿勢を正して、彼に軽く頭を下げた。

「少し時間があるかね」村田が強い声で言った。

「はい。明日の予定を考えていただけで、すでにできあがりましたから」と答えた。

「ちょっと、変な噂をきいたものだから」

村田は正治をこの学校に推薦してくれた、いわば恩人である。彼から何かを言われることはきつい。父兄から何かクレームでもあったのだろうか。

「いや、君には他意がないと思うのだが、ちょっとした噂があってね、耳にだけ入れておいたほうがいいと思って。君は、このクラスの前任者のことをさかんに聞きに回っているということだが、本当かね」

「聞きに回るというほどではないのですが、前任者のことは知っておいたほうがいいと思いまして」と答えた。

「まあ、そう思うのも無理はないが、あまりそういうことをしないほうがいい」

「なぜですか」と聞きたかったが、ぐっと堪えて、「はあ、わかりました。以後気をつけます」と答えた。

前任校の校長が正治を校長室に呼び出して県立大付属学校の初等部に行かないかという話をしたのは、冬休みも近づいてきた十二月初旬のことであった。

「県大付属が、きみをぜひ欲しいと言ってきているのだが、いく気はないかね」と打診した。今頃ですか、と正治は戸惑った。普通、人事の話は学年の終わりの三月になってからである。「君は熱心な研究家だから、ああいう学校で研究に打ち込んだほうがいいと思うんだが、―中略―いずれにしても断る理由がないと思ってね」とすでに校長はその話を内諾していた。

正治が「ええ、とても光栄な話だと思います」と答えたが、またどうして、こんな時期に、担任が産休にでもなったのだろうか、と不思議に思った。だが、県大付属などそう行ける学校ではない。

正治は「行かせて頂きます」と即座に答えて、この学校へ転勤してきたのだ。


「そうしてくれたまえ。うちの連中達、前の担任の失踪にはえらく気を遣っているもので」

「わかりました」と正治は答えた。だが、なぜそう敏感なのか、何かあったのかという疑問はいっそう深まった。

（筆者記）


これの誤りもまた、視点の混乱、つまり前半は一人称的三人称（今）視点で描いていたのに、経過説明になって、違う視点に変えてしまっている。「前任校の校長が正治を校長室に呼び出して」は校長側から描いている。これは「三人称全知（過去のこと）視点」からの発話である。

もし、正治の説明なら「前任校の校長から校長室に呼び出され」となり、「話をしたのは」は「話を聞いたのは」となる。また「すでに校長はその話を内諾していた」は正治は知らないことである。

ここは、「三人称全知（過去のこと）視点」での説明に変更されている。また、説明が終わると、「一人称（今）視点」にかえっている。

このように、冒頭近くで、今の状況にいたったいきさつやその他の説明をする場合、そこでミスを犯す。

「一人称的三人称（今）視点」で書くのならば、こういういきさつや状況説明なども一人称的三人称で描かなくてはならない。説明部分に作者が顔を出し、作者が説明してしまう場合が多い（作者が説明するとそれは三人称全知視点となる）。

さらに、次の文章もこれまでのとはまた違った大きなミスを犯している。引用文が長いが、どこが間違っているのか、考えながら読んで欲しい。

木のきっかけ（書き手は女子生徒）

私は木に興味があったわけではなかった。

今回で君に記事を書いてもらうのはもう終わりにする。そう吉田さんに言われた。心が動揺し、自分の気持ちを落ちつかせることができなかった。もうすぐ三十歳になるというのに、まだ、こんな状態なのかと思うと、悲しみが心の底から湧いてきた。

事務所のビルを**出る**（黒字は筆者記）と、夏の太陽が容赦なく身体全体に降り注いできた。こんな暑さに耐えきれない。汗がどんどん出てくる。それをハンカチで拭きながら駅に向かった。文化博物館の前を通るとき、入り口あたりからひんやりとした気流が流れてきた。足首や、首筋にあたって気持ちがよかった。きっと冷房用の空気が漏れ出てきたのだ。それで、私は冷気に引っ張り込まれるようにして、文化博物館の中へ入ってしまったのだった。

玄関を少し入ったところに「特別展・日本の木」という大きな立て看板があった。そして、もう一つ、その傍に、矢印の看板があった。わたしは何気なく矢印にしたがって中へ進んだ。

特別展の入り口には、大きな木の断面が置いてある。褐色の模様が幾層も作っていて、それが木だとは思えなかった。自然にできた複雑な濃淡や線の動きを見ながら、わたしはさっき吉田さんに言われたことをまた思い出した。

君の記事は単調すぎる。——中略——

「ぶなの木ですよ」

突然、後ろから男性の声がした。我にかえって振りかえる。

黒髪を七三に分けた私と同じくらいの男性がこちらを向いてにこやかに微笑んでいる。

「木とは思われないでしょう。まるで石のようだ」

いっそう男の顔はにこやかになる。

題名の「木のきっかけ」と次の「私は木に興味があったわけではなかった。」を続けて読むと、主人公「私」は、以前には木に興味がなかったのだが、今は木に興味を持ち、そのいきさつをこれから述べようしているのだなと受けとれる。また「私は木に興味があったわけではなかった」は説明文であり、冒頭から説明文を出されると、普通、視点が「机の前」にあり、しかもその後で、入ってしまったのだった、と説明表現がなされるので、よりいっそう文章は机の前で説明的に述べられているのだと考えてしまう。さらに「今回で君に記事を書いてもらうのはもう終わりにすると言われた」も過去表現ととらえることができるので、これまでのことを後ほど回想して書き始めた、ととらえるのが順当である。

さらに、次の「心が動揺し、自分の気持ちを落ちつかせることができなかった」も過去のことを述べているととらえられるので、いっそうこの作品は過去の出来事を「机の前」で回想して書いているのだと思ってしまう。

ただ、そうとらえると一つだけ違和感のある語がある。それはゴシック文字で示した「ビルを**出る**」の「出る」である。ここの文章が過去を示すのであれば、「ビルを出たら」とすべきだが、それほどこだわることではないとつい考えて読み進めてしまう。それで、木に興味を持つようになるいきさつがいよいよ始まるのだな、と考えて読もうとする。木に興味を抱くきっかけは、吉田さんから「あなたの記事は駄目だ」と言われたことなんだ、とも思う。

ところが最後まで読んでも、木に興味を惹かれたことなどいっさい描かれていない。ただ、この博物館員と親しくなるいきさつが描かれているだけである。

「木のきっかけ」とは木が博物館員と親しくなるきっかけになったことらしい。しかも、後で作者に尋ねると「冒頭」から「入ってしまったのだった」まで、すべて「今視点」で書いているつもりだったと言う。「私は木に興味があったわけではなかった。」は、展示会の入り口で、「特別展・日本の木」という大きな看板があったので、「私は木に興味があったわけではなかった」が、何気なく中へ入ってしまった、ということらしい。それを倒置的に冒頭に書いたと言うのだ。この倒置法が誤りの元だった。

「描写型」の作品では「倒置法」は使えない。倒置法とは時間の順序を変え、後から起こったことを先に述べる方法である。ところが「描写型」の小説は「今」起こったことを即座に描いていく方法なので、未来に起こることは「今」の時点では知りようがない。ラジオの実況放送で、今起こっていることよりも未来のことを実況できないのと同じである。「倒置法」が可能なのは過去の出来事を描く回想型か物語型の場合のみである。すでに起こった出来事だから時間の順序を変えることができるのである。それなのにこの作品は「今のことをつぎつぎ描いていく描写型」の小説なのに、倒置法を使ったのが間違いだった。これをすんなり次のように描けば何の問題も起こらない。

先ほど吉田さんに呼ばれて「今回で君に記事を書いてもらうのはもう終わりにする」と言われた。心が動揺し、自分の気持ちを落ちつかせることができなかった。もうすぐ三十歳になるというのに、まだ、こんな状態なのかと思うと、悲しみが心の底から湧いてきて、部屋にいづらくなり、慌てて事務所のビルを出た。外は、夏の太陽が容赦なく身体全体に降り注いできた。この暑さは耐えきれない。汗がどんどんふき出てくる。それをハンカチで拭きながら駅の方へと向かった。文化博物館の前を通るとき、入り口あたりからひんやりとした気流が流れてきた。足首や、首筋にあたって気持ちがよかった。冷房用の空気が漏れ出てきたのだ。それで、私は冷気に引っ張り込まれるようにして、文化博物館の中へ入ってしまった。

玄関を少し入ったところに「特別展・日本の木」という大きな看板がたけかけてあった。その傍に、矢印の看板もあった。私は木に興味があったわけではなかったが、何気なく矢印にしたがって中へ進んだ。

特別展の入り口には、大きな木の断面が置いてある。褐色の模様が何層も作っていて、それが木だとは思えなかった。自然にできた複雑な濃淡や線の動きを見ながら、わたしはさっき吉田さんに言われたことをまた思い出した。

君の記事は単調すぎる。

5　視点には変種がある
――変種を使う場合は、はっきりとした理由のある場合に限る　よほど気をつけて使おう

視点は前章のものだけではない。有名な作家たちによって様々な変種が創造されている。最もよく使われる変種に「三人称限定視点」がある。これは「三人称全知視点」の変種である。三人称全知は以前説明したように観察者の視点で、自らは呼称がなく無人称視点であり、姿、形、思いなどはいっさい現さない。声（言葉）のみの透明人間である。しかも、登場人物すべての内部に入ることができ、内面を理解し、かつ、その人物から外部を見ることもできる。したがって、外部は、観察者の視点でとらえたものと、ある人物に入って、その人物からとらえたものと二通りあるということになる。きわめて複雑な視点である。

しかし、この視点の変種として、すべての人の内部に入るのではなく、中心人物と目される一人の登場人物のみに入り、後の人物は三人称客観のように内部には入らず外から描く視点である。このような視点は「三人称限定視点」と呼ばれている。この視点では、視点が外部にいて外部から描くか、主人公の内部に入り、彼の目から描くかのどちらかになる。これは、先ほど説明した一人称的三人称と極めて

よく似ているが、違うところがある。それは一人称的三人称では、主人公の外部は全部主人公の目を通してしか描けないが、三人称限定視点では、今述べたように、全知視点の目を通しても描ける。さらに、三人称限定視点では、視点の移動が自由なので、一人称的三人称では主人公が高いところに登らない限り俯瞰的には描けないが、三人称限定では、いつでも俯瞰的に描くことができる。また、三人称全知視点なので、その人物に関係することは主人公が知り得ていないことでも描ける。

例えば次のような表現が、俯瞰的であると同時に車内をも描いた例である。

沿線には桜並木がつづき、電車は桜吹雪の中を走っている。板東光男は列車の座席に背をもたせかけ、輝男からの携帯メールをじっと見つめる。「今日の夜、食事をいっしょにしよう」と書いてある。すぐに、「だめ、これから島根に出張」とメールを返した。（——この後、光男を中心に描かれる。ときどき、光男が見えないことまで描かれる）

（著者作）

これを一人称視点、または、一人称的三人称視点で描いた場合は、「沿線には桜並木がつづき、電車は桜吹雪の中を走っている」ことは板東光男には見えない。したがって、ミスになる。

しかし、三人称限定視点ならＯＫである。外から列車の様子を写し、すぐ視点を車内に移して、光男を観察し、光男の様子も描ける。もう一つ、例を挙げておこう。

夜勤明けの看護師たちはきょうも姿を見せなかった。

郊外に開業したショッピング・タウンには国際的なチェーンのコーヒー・ショップもあるそうで、彼女らを拐《かどわか》したのはその店にちがいない。——中略——

秋口に開店したその怪物を、荒井敏男は見たためしがない。おそらくいまだ足を踏み入れたことのない市民は、よほどの病人と年寄りを除けば彼のみである。

話がはずめばコーヒーのおかわりをしてくれる看護師たちが、巨人の懐《ふところ》に搦《から》め取られたのは痛打である。

だがあと一週間、地を這うようにしか進まぬこの時間を耐えさえすれば（新年になって）きっと世界が変わる、と敏男が思う。

看護師たちのかわりにドアを開けたのは、これでもかというほど腰の曲がった大家のばあさんだった。

止まり木によじ登って番茶を啜りながら、ばあさんはまるで愛の告白でもするように恥じらい躇《ためら》いしたあげく、荒井さん申すわけねがんすが家賃さけで（先に）くんなせ、と言った。

（浅田次郎「琥珀《こはく》」⑰を視点説明のため一部変えた）

この視点も「三人称限定（今）視点」である。なぜなら「その怪物を、荒井敏男は見たためしがない。まだ足を踏み入れたことのない市民は、よほどの病人と年寄りを除けば彼のみである」は何でも承知している三人称全知でないと知り得ないことである。

「痛打である」という言葉も敏男の言葉としては不適切である。それに「ドアを開けたのは、これでもかというほど腰の曲がった大家のばあさんだった」とあるが、ドアを開けるのがわかるのはコーヒー店の外からである。店内の敏男からは見えない。もし、これを店内から描けば「ドアが開かれ、入ってきたのはこれでもかというほど腰の曲がった大家のばあさんだった」となる。故にここは外にある観察者の視点である。

三人称限定（今）視点ならこれでもOKだが、一人称的三人称（今）視点ならミスである。このどちらであるかは、作品全体を見なければわからない。一人称的三人称（今）視点なら、全文章をそれで統一して描かなければならないし、三人称限定（今）視点ならそれで統一して描かなければならない。

ところで一人称視点の変種としては、独白体がある。これは独り言を延々と述べるという表現である。ドストエフスキーの「地下室の手記」[18]（安岡治子訳）の冒頭を紹介してみよう。

俺は病んでいる……。ねじけた根性の男だ。人好きがしない男だ。どうやら肝臓を痛めているらしい。もっとも、病気のことはさっぱり訳がわからないし、自分のどこが悪いのかもおそらくわかっちゃいない。医者にかかっているわけでもなければ、今まで一度もかかったこともない。医学や医者は立派なものだとは思っているのだが……。そのうえ、俺はこのうえもなく迷信深いときている。まあ、少なくとも医学を立派なものだと信じ込むほどには迷信深いわけだ。（迷信を馬鹿にする程度には、教育を受けているはずなのだが、とにかく迷信ぶかいのだ）。いや、金輪際、医者なんぞに診てもらうものか。意地でも嫌だ。〔注 （ ）内も引用部分〕（ドストエフスキーの『地下室の手記[18]』）

次に一人称的三人称視点の変種として、二人称視点というのがある。一人称的三人称では私が二つに分裂し、見る私とみられる私とになり、見られる私は三人称の太郎や花子などの固有の呼称で呼ばれるのだが、それを「きみ」「あなた」などと呼ぶに過ぎない。自分をもう一人の自分が「きみ」「あなた」と呼び、客観的に書こうとする視点である。この視点で有名なのは、ミシェル・ビュトールの『心変わり[19]』（清水徹訳）である。その一部を紹介してみよう。

（発話者が列車に乗って窓から外を見ている。きみというのは発話者自身のことを言っている）

通路のむこう側、一台の黒い大型自動車が協会のまえから動き出し、鉄道にそった道を進み、**きみ**と速さを競っている。その車は、接近し、遠ざかり、森のうしろにかくれ、また姿をあらわし、柳が生え小舟が一艘うちすてられている川を横断し、追い抜かれ、また追いつく。十字路で停止し、右に折れて、村の方に遠ざかってゆく。その村の鐘塔も、まもなく土地の起伏のむこう側に消えていく。モントロー駅を通過。

鈴の音がごうごうという響きにつらぬいてきこえた。食堂車の給仕が**きみ**の方にやってくる。金色の刺繍のついた青い帽子をかぶり、上着は白い。給仕が来るのを待っていたのは、**きみ**ひとりではなかった。若夫婦も眼をあげたから。かれらはいま、顔を見合わせて微笑している。（ゴシック文字＊筆者記）

（ミシェル・ビュトール『心変わり[19]』）

一人称視点の変種として手紙体や日記体というのもある。手紙体の一部を示してみる（朔立木「スターバート・マーテル」[20]の冒頭――池田附属小学校殺人事件をモデルとした小説で、殺人者の元妻からの手紙）。

弁護士　田岡　錠治　先生

浦野智恵子

浦野智恵子です。覚えていますか。
あの人が前の弁護士さんを解任して、先生があの人の弁護士さんになってすぐに、先生から、私に会いたいと言って何度も電話をもらった浦野智恵子です。
あの時はどうしても会いたくないと断っておきながら、今になって、私の方から手紙を出して、すみません。お許しください。
ひとつだけお願いしたくて、これを書いています。

（朔立木『スターバート・マーテル』[20]）

三人称全知視点の変種として「意識の流れ的手法」がある。その最も有名な作品の一つにバージニア・ウルフの『ダロウェイ夫人』[21]（土屋政雄訳）があるが、その一部を紹介する。

（若いときに恋人だったピーターが、インドからの帰りだと言って、すでに政治家の妻になっているクラリッサの元を訪ねてくる）

昔のままだわ、とクラリッサ（ダロウェイ夫人）は思った。風変わりな顔つきも、チェックのスーツも昔のまま。首が少し傾き、昔より少し痩せて、輪郭が少し尖った、たぶん。でも、とても元気そう。昔のまま。

「またお会いできて、夢のよう」と大きな声で言った。ナイフなんか出して、この人らしい、と思った。

昨夜ロンドンに着いたばかりだ。とピーターは言った。すぐに田舎に発たねばならん。万事どうだ。みんな元気か。リチャードは？　エリザベスは？

「で、これは何事だい」そう言って、ポケットナイフを縁のドレスの方向に傾けた。

とてもいい身なり、とクラリッサは思った。いつもわたしの身なりを非難するくせに自分だって。

（ここまではダロウェイ夫人の発話。以後、元恋人ピーターの発話）

ドレスの繕い……相変わらずドレスの繕いか、とピーターは思った。おれがインドにいる間、ずっとここにすわっていたわけだ。ドレスを繕い、遊び歩き、パーティに出かけ、議事堂までちょこちょこ走っては戻り……そんなことをしていたわけだ。じりじり、いらいらが募るのも当然。一部の女にとって、世界中で結婚ほど悪いものはないからな。それと政府だ。リチャードなんてご立派な保守党政治家を亭主に持ったら……まったく、まったく……ピータはそう思いながら、音を立ててナイフをたたんだ。

（バージニア・ウルフ『ダロウェイ夫人』[21]）

三人称全知のように、視点が別の人にどんどん移っていく。しかし、全知のように観察者が発話しているところがない。観察者（透明人間）がすべての登場人物の内部に入り込み、登場人物の視点からのみ描かれている。したがって、内面描写が多いとともに、外部はすべて、登場人物の目で描かれる。そこが、三人称全知（今）視点と違うところである。

第二章　言表の方法

1　「描写」とはどういう描き方なのか？

——具体的に書くだけで「描写」だとは言えない　また「えせ描写」というまがいものまである

小説における主な叙述形態は「描写」「語り」「会話」の三種類である。中でも「描写」が最も重要な叙述形態である。なぜなら「語り」においても重要な場面では「描写的現在」という形で「描写」が使われるし、「歴史的現在」といっても筆者が「描写的語り」と名付けているラジオの実況放送のアナウンサーが喋るような叙述形態なので、それも「描写」的である。「会話」は「描写」の中で書かれれば「会話」という「描写」になる。

　ところが「小説における描写とはどのような叙述形態か」というと、それが明確ではない。「物語論における術語には、平易な日常語を利用する傾向があり、それが混乱の元である」と新田義彦が「物語生成理論の持つ万物理論的側面[d]」という論文の中で述べているが筆者も日頃からそう思っていた。だからこの文章では用語をできるだけ厳密に規定して使おうと考え、筆者流に定義し、その語には傍線をつけておいた。小説における「描写」もその例に漏れず、「具体的に描く」といったきわめて曖昧な形で使われている。

一応「描写一般」については辞書などでは「描き写すこと。特に、文芸・絵画・音楽など芸術的制作において、ものの形態や事柄・感情などを客観的に表現すること」（『広辞苑　第四版』）とある。これは、小説にも絵画にも音楽にもあてはまる広義の意味であり、絵画や音楽における描写と小説における描写とは大きく異なる。それに、このような大雑把な定義では到底叙述の基礎などにすることはできない。

ではどのような法則に従って書かれたものを「小説における描写」（以後、「描写」とのみ記す）と言うのか、それを厳密に定義しておかなければならない。単に「姿、形、行為、思いなどを具体的に描いたもの」などと言うのではだめだ。「具体的に説明してください」などということだってある、具体的表現が説明にだってなる。

また、「語り」においても「具体的に姿、形、行為、思いなど」を語るのだが、それは「描写」ではなく、あくまでも「語り」である。では「描写」と「語り」とではどこが違うのか、その区別もはっきりさせておきたい。

それに「描写」には「えせ描写」という「描写」にきわめて似た、やっかいな「まがい物」まである。「描写」と「えせ描写」の違いもはっきりさせておきたい。

そこで、まず「描写」とはどのようなものかを明らかにする。そのため事例を先に示すことにする。

男は駅舎の硝子戸に写った自分の顔を見る。髭が伸びて痩せた人間が、こちら側を探るように見つめている。目の光は弱く精彩がない。男は人波に押されながら、改札口を入る。勤めに出る人々が足早に追い抜いて行く。ゆっくりと歩いているのは男だけだ。よく歩いているから、体が締まって痩せてきたんじゃないですか、と出がけに言った妻の言葉が頭をよぎる。軽い気持ちで言ったのだろうが、男には皮肉に聞こえるようになった。

以前なら玄関まで見送っていたがそれもせず、気をつけてと声がしたが振り向きもしなかった。男はそのことを思い出し小さく舌打ちをした。横を向くと、エスカレーターで上がる年配の女と目が合った。

（佐藤洋二郎「運動会[22]」冒頭）

視点は、一人称的三人称（今）であり、すべて男の視点でとらえ、男が発話している。「描写型」の小説である。

ただ、点線部分の「軽い気持ちで言ったのだろうが、男には皮肉に聞こえるようになった」は説明であり、「以前なら玄関まで見送っていたがそれもせず、気をつけてと声がしたが振り向きもしなかった」は回想であるが、それ以外はすべて「描写」である。

例えば「男は駅舎の硝子戸に写った自分の顔を見る」は今男のしたこと、つまり自身の行為の描写であり、「髭が伸びて痩せた人間が、こちら側を探るように見つめている。目の光は弱く精彩がない」は鏡に映った自分の姿の描写である。「男は人波に押されながら、改札口を入る」は、自分の行為の描写である。

描写された順序を提示してみると「硝子戸に写った自分の姿を見る」→「改札を入る行為」→「勤めに行く他の人の様子」→「出がけに妻の言ったことの思い出し」→「それについての自分の思いの説明」→「以前の妻の思い出し（回想）」→「舌打ちをした自分の行為」→「そばを通った年配の女のこ

と」となっている。

つまり発話者が今自分のしていること、思っていること、見えているものを起こった順に即座に写すように描いている。これが描写の原則である。ただし、途中で、説明や回想が入っている。また、部分内での順序だが、「硝子戸の自分の姿」の項では、次のような順序で描かれている。「髭が伸びて痩せた人間が、こちら側を探るように見つめている（全体の様子）↓目の光は弱く精彩がない（見つめている人間の部分の様子）」。「全体から細かな部分へ↓細かな部分は視線の動きに従って描く」の法則に一応従っているが、部分が目の様子しかないので、視線の動きに従っているかどうかはわからない。それで、別の事例を挙げて、視線の動きに従って描くとはどういう描き方なのかを説明する。なお、視線の動きに従っていない描き方を筆者は「えせ描写」と名付けている。次に二つの文章のうち、どちらが「描写」でどちらが「えせ描写」かを当てて欲しい。

① 少年がひとり、電柱にもたれて立っている。顔は丸顔で、黒い野球帽をかぶり、白いスニーカーを履き、黒いTシャツを着ていた。
② 少年がひとり、電柱にもたれて立っている。黒い野球帽をかぶり、顔は丸顔で、黒いTシャツを着て、白いスニーカーを履いていた。

②が「描写」であり、①は「えせ描写」である。なぜならば、まず、全体的な事柄から部分へという法則には両方とも従っているが、部分の描き方は、①は顔↓頭（上方）↓足（下方）↓胴（上方）と、

視線が上下にジグザグしている。これは普通の視線の動きではない。だが、②は頭↓顔（下方）↓胴（下方）↓足（下方）と少年の上から下へと視線の動きがスムーズであり、これが通常の視線の動きである。つまり視線は「全体から部分へ」「遠《えん》から近《きん》へ、または、近から遠へ」「上から下へ、または、下から上へ」などに従うことである。おそらく①は作者が頭に思い浮かんだ順に書いたものであろう。まず、顔を思いつき、次に頭のことを、次に足、次に胴と。②は、作者が少年を見ている主人公と一体化していて、主人公の視線の動きに従って描いたものである。よほど注意しないとつい「えせ描写」になってしまう。

ところで、もう一つ注意すべき点がある。それを理解するため、次の事例を読んでもらいたい。

① 私は前を向いて教室の椅子に座った。黒板にはお知らせが書いてあり、後ろの壁には誰かの花の絵が飾ってあった。

どこか変である。前を向いている人に後ろは見ることができないのに、後ろのことも書いている。これを正しく書き直すと次のようになる。

② 私は前を向いて教室の椅子に座った。黒板にはお知らせが書いてあり、振りかえると、後ろの壁には誰かの花の絵が飾ってあった。（～～～＊視線の方向転換を示す句）

視点において視線の向きが重要である。少なくとも九十度以上向きを変えるときは、必ず、視線の向きが移動したことを書き入れなければならない。これは心に銘記しておいて欲しい。

以上のように、「描写」はまず、視点が主人公にあって、しかも今、現場にいることが絶対条件である。したがって、視点は、一人称（今）視点か一人称的三人称（今）視点、および、三人称限定（今・内）視点（登場人物の内部に入り、そこから見えるものを描く場合）、三人称全知の（今・内）視点のいずれかである。ただし、三人称客観（今）視点は「描写的語り」であり「描写」とは言わない。それはちょうど、ラジオの実況放送のアナウンサーのような視点となる。このような述べ方を筆者は「描写的語り」と名付けている。「描写的語り」は描写と語りの中間であり、「語り」のところで詳しく説明する。

さらに加えて、時間の順序、認識の順序、視線の動きの順序、などに従って描き、視線の大きな方向転換には、必ずそれを示す表現が必要である。

以上のことを、定義的に書くと次のようになる。

描写とは、①視点が登場人物の一人（つまり主人公）にあって、②その登場人物が、今、現場にいて、③生じている出来事の順序、登場人物の行為の順序、思った順序、見える順序、視線の動きの順序に従い、また、④視線の方向に大きな変化があるときはそれを示し、⑤写すように描く方法である。

定義を読めば難しいようだが、簡単に言えば、我々が実際に、見て、行い、思ったように描けばいいだけである。ただし、作者はちょっとした無理をしなければならない。それは作者の目（意識）を、主人公の目（意識）と一体化しなければならないことである。それができれば「描写」が簡単にできるので、意識的に努力して欲しい。

2 描写でよくするミスとその訂正
――描写の法則に基づいて描くとこんなにも読みやすくなる

出来事の順序、行った順序などは間違えることはない。しかし「見たものを描く」ところで多くの人がミスをする。「視線の動きの順に従って描く」ができないのだ。それは作者が視点（発話者）と同化していないからである。俳優は演じる人物に同化するために日夜努力すると言われている。これと同じように作者もその人物と同化する訓練をしなければならない。そうでないと、つい、作者が出てしまい作者が「思いついた順」で書いてしまう。そのため、文章は「えせ描写」になる。次の例はそれだ。

沿線には桜並木がつづき、電車は桜吹雪の中を走っている。私は列車の座席に背をもたせかけ、輝男からの携帯メールをじっと見つめる。「今日の夜、食事をいっしょにしよう」と書いてある。すぐに、「だめ、これから島根に出張」とメールを返した。

これは「三人称限定（今）視点」の説明で、その例として出した文章とほぼ同じである。違うところは、限定では主人公が「板東光男」とあったのを「私」と変えただけである。しかし、一人称視点でこのように描くと間違いである。なぜなら、車内にいる「私」には「沿線には桜並木がつづき、電車は桜吹雪の中を走っている」とは描けない。なぜなら、これは外部から俯瞰的に見た風景だからである。列車の内部の「私」からはこの風景は見えない（これもすでに述べた）。

視点をはっきりと決めていないか、それとも、作者が「私」になりきっていないかのどちらかのためである。一人称視点ならこれは「えせ描写」であり、書いてはならない表現である。

もし、窓から延々とある桜の木々を見ているのなら「列車の窓からは桜の木々が途切れることなく後ろへ後ろへと飛んでいく。花びらも、吹雪のように、数知れず斜めに落ちていく」とでも描くべきである。また、その後に「線路に沿って桜並木が長々と続いているのだろうか」と入れてはどうか。

さらに「私は列車の座席に背をもたせかけ、輝男からの携帯メールをじっと見つめる」も問題である。前の文の視線が窓の外を向いており、次の文は、携帯を見つめるのならば「視線の大きな変化」に当たる。故に「私は窓から目を離し」を入れるべきで、「窓から目を離し、列車の座席に背をもたせかけて、輝男からの携帯メールを見つめる」とでも書くべきである。

以上をまとめて書くと次のようになる。

列車の窓からは桜の木々が途切れることなく後ろへ後ろへと飛んでいく。花びらも、吹雪のように、数知れず斜めに落ちていく。おそらく、線路に沿って桜並木が長々と続いているのだろう。

私は窓から目を離し、列車の座席に背をもたせかけて、輝男からの携帯メールを見つめる。「今日の夜、食事をいっしょにしよう」と書いてある。すぐに、「だめ、これから島根に出張」とメールを返した。

さらに、次の文章は介護施設で夜勤の仕事をするため、今日、初めて出勤する人の様子を描いたものである。周りのことをよく見ていて、いい書き出しになる可能性があるが、描写の法則に従っていないため読者には読みづらく、イメージが湧かない。

車で今日から勤めることになったやすらぎ荘に着いた。職員用の駐車場はいっぱいでやすらぎ荘の玄関前の道端に車を止め、しばらく様子を見ることにした。

おそらく荘と経営者が同じ二階建てのデイサービスセンターが向かい側にあり、送迎用のミニバスが激しく出入りしている。だから、そこにも駐車ができるようなスペースはない。

道路に面してコの字型に建てられた木造三階建ては、もう二十数年の年月を重ね、中庭もあり、枝振りのいい松や檜が植えられ、それが建物と見事に調和している。昔、旅館だったのだろうか。それとも、会社の寄宿舎でもあったのだろうか。にわか仕立てで最近続々と建設されている老人ホームとは少し趣が異なり、伝統ある名門学園のような佇まいをしていた。

まもなく仕事の終わった介護士が、自分の車で家路につき、私はようやくそこへ車を滑り込ませることができた。

注 ＝＊視線の方向転換を示す語句

----＊筆者が書き足したり、変化させたところ
〰〰＊視点限定語

「今日から」という語があるため「着いた」は現在完了となり、視点は今視点となる。また、「出入りしている」でいっそうそれが裏付けられる。また、主語が省かれているので、それは「私」ということになり、この文章は「私」が今していることを述べるという「描写型」で、視点は一人称（今）視点である。

丁寧に養護老人ホームを見ていて、いい書き出しになる可能性があるのだが、この文章には次の三つの問題点がある。

一つは、視点人物の「私」が、今、どこにある何を見ているのかがはっきりしない。それは視点の移動を示す表現が抜けているからである。二つめは、主人公には他者の内部や建物の中で行われていることや建物についての知識的なことなどはわからないはずなのに、わかったように描いている。つまり三人称全知のような描き方をしている。三つめは、語の順序や「つなぎ言葉」などに不備があり、文がスムーズには繋がらない。これらについて、描かれている順に詳しく検討してみよう。

冒頭の文の次に「職員用の駐車場はいっぱいでやすらぎ荘の玄関前の道端に車を止め」とあり、また、その続きが「しばらく様子を見ることにした」とある。故に、職員用の駐車場とやすらぎ荘の玄関とは隣接していて「私」から見て、玄関は建物の一番端にあることになる。だが、そういうところに視点があることをはっきりと示す語句がない。そのため主人公とやすらぎ荘との位置関係がはっきりしない。

例えば「駐車場のすぐ隣にやすらぎ荘の玄関があり、その前の道端に車を止め、そこから振り返りながらしばらく駐車場の様子を見ることにした」とでも書いて欲しい。

次にデイサービスセンターの「描写」だが、ここは大きく視線の方向が変わるところなので「道を挟んで右側に眼を移すと」、を必ず入れる必要がある。そして、「道を挟んで右側に眼を移すと荘のちょうど向かい側に、おそらく経営者が同じだろう二階建てのデイサービスセンターがあり」と書くとよくわかる。

さらに「道路に面してコの字型に建てられた木造三階建て」のところは、また視線が大きく移動しているのだが、それも書かなければならない。それに、中庭がどの辺りにあるのかもわからない。それで、以下のように書き直すべきだ。「再び、荘に眼を移すと道路に面してコの字型に建てられた木造三階建ては、その窪んだところが中庭となっていて、もう二十数年の年月を重ねたであろう、枝振りのいい松や檜が植えられ、それが建物と見事に調和している。昔、旅館だったのだろうか。それとも、会社の寄宿舎ででもあったのだろうか」

次に「にわか仕立てで最近続々と建設されている老人ホーム」とあるのだが、「最近続々と建設されているにわか仕立ての老人ホーム」と順序を入れ替えたほうが読みやすい。

さらに「まもなく仕事の終わった介護士が、自分の車で家路につき、私はようやくそこへ車を滑り込ませることができた」とあるが、私は外にいるので、「仕事の終わった」と断定できない。また、その人が「介護士」であることも断定できない。それで「仕事が終わったのであろう介護士と思われる人が」と想像的に描くべきである。「自分の車で家路につき」もそうは断定できない。「家路につくのか車を発車させた」と、想像的に描くべきである。

以上をまとめて書くと次のようになる。読み比べて欲しい。

車で今日から勤めることになったやすらぎ荘に着いた。職員用の駐車場はいっぱいで、すぐには入れず、それに隣接している玄関の前の道端に車を止め、しばらくそこから様子を見ることにした。道を挟んだ右側に眼を移すと荘のちょうど向かい側に、おそらく経営者が同じだろう二階建てのデイサービスセンターがあり、送迎用のミニバスが激しく出入りしている。だから、そこにも駐車ができるようなスペースはない。

再び、荘に目を戻すと道路に面してコの字型に建てられた木造三階建ては、その窪んだところが中庭となっていて、もう二十数年の年月を重ねたであろう、枝振りのいい松や檜が植えられ、それが建物と見事に調和している。昔、旅館だったのだろうか。それとも、会社の寄宿舎でもあったのだろうか。最近続々と建設されているにわか仕立ての老人ホームとは少し趣が異なり、伝統ある名門学園のような佇まいをしている。

しばらくすると、仕事が終わったのであろう介護士と思われる人が、駐車場にやってきて、家路につくのか、車を発車させた。私はようやくそこへ車を滑り込ませることができた。

次の文章にも同じような問題点がある。どこが問題か考えて欲しい。

潮が満ちてきた。河口に近い川面にゆるゆると波状が寄ると、それはとぎれることなく広がりながら川を遡ってくる。水面を押し上げてくるその先端を目の当たりにして明美は息を呑む。胸元まである護岸壁に身をもたせ、迫ってくるちいさなうねりを待つ。川幅は五十メートル余り、ときおり風が川面をさらっていく。うねりの先端は砕け飛んで白いしぶきの尾を引いた。

「遡ってくる」の「くる」が現在形なので、視点は今視点で発話者が現場にいることがわかる。だが「その先端を目の当たりにして明美は息を呑む」まで、発話者は明美であることがわからない。それに、主人公がどこから何を見ているのかが、終わり辺りの「川幅は五十メートル余り」までわからない。もっと早くに誰がどこから何を見ているのかをわからせるべきである。

それに、次の文「先端を目の当たりにして明美は息を呑む。胸元まである護岸壁に身をもたせ、迫ってくるちいさなうねりを待つ」も、おかしい。息を呑むほど驚いているのに、そのあと「ちいさなうねりを待つ」というのでは、まったく矛盾している。ここでようやく、この文章は倒置法を使っているとわかる。

「描写型」の小説では倒置法は絶対使ってはならない。これは以前にも言った原則である。だとすると「明美は胸元までである護岸壁に身をもたせ」が一番はじめになければならない。ところが、この「護岸壁に身をもたせ」がまた問題である。「身をもたせ」とあれば、背中を護岸壁に付けている。これはむしろ「胸元までの護岸壁から身を乗り出すようにして」と描くべきである。

次に、ものを見る場合、「全体から部分へ」が原則だから「川」のことが先に書かれなければならない。したがって「明美は川を見つめる。川幅は五十メートル余り」が先に描かれなければならない。そのあと「迫ってくるちいさなうねりを待つ」を描くべきだが、「待つ」はいいが「迫ってくる」は次の事象を先取りしているようで、強すぎる。「それを待つ」ぐらいが適当である。次に「河口に近い川面にゆるゆると波状が寄ると、それはとぎれることなく広がりながら川を遡ってくる。水面を押し上げてくるその先端を目の当たりにして明美は息を呑む」とつづき、さらに「風が吹き、うねりの先端は砕け飛んで白いしぶきの尾を引いた」とし、最後に、最初の「潮が満ちてきた」を描くべきだろう。なぜなら、川面の様子を認識した故に、潮が満ちてきたことがわかったのだから、起こった順に従うのが「描写」の原則である。以上のように考えて、次のような文章に改める。


明美は胸元まである護岸壁から身を乗り出すようにして川を見つめた。川幅は五十メートル余り。河口に近い川面にゆるゆると波状が寄ると、それはとぎれることなく広がりながら川を遡ってくる。彼女はそれを待つ。

水面を押し上げ、うねりとなってやってきたその先端を目の当たりにして明美は息を呑む。

風が吹き、うねりの先端は砕け飛んで白いしぶきの尾を引いた。

どうも潮が満ちてきたようだ。


どちらがわかりやすいか比べて欲しい。

最後に、お手本とすべき「描写」を一つ挙げておく。ちょっと古い作品だが、志賀直哉「暗夜行路後編[23]」の一節で、主人公「謙作」が夜明けに、大山の中腹辺りから下の風景を眺めた「描写」である。名文と言われているところである。

中の海の彼方から海へ突出した連山の頂が色づくと、美保の関の白い灯台も陽を受け、はっきりと浮かび出した。間もなく、中の海の大根島にも陽が当り、それが赤鱏を伏せたように平たく、大きく見えた。村々の電灯は消え、その代わりに白い烟が所々に見え始めた。然し麓の村は未だ山の陰で、遠い所より却って暗く、沈んでいた。謙作はふと、今見ている景色に、自分のいるこの大山がはっきりと影を映していることに気がついた。

注　----のところは主人公が見ている対象物

まず、先ほど述べた「描写」の法則が守られているかどうかを検討してみよう。

この文章の前のところで、すでに謙作が中腹にいて、前方を眺めていることが書かれているので、この文章は部分の様子から入っている。

「中の海の彼方」と一番遠いところから描き始められ「連山―灯台―大根島―村々の電灯―烟―影」と「遠から近」への原則が貫かれている。それだけでは、正しい「描写」ではあるが、名文とまではいかない。名文と言われる理由がどこにあるのか。

それには、まず「色」が関係している。「海・青―連山の頂・柿色―灯台・白―大根島・赤―電灯・黄―烟・白色―影・黒」と色がさまざまに変化し、描写に彩りを添えていく。次に形だが、中の海の

「面としての広がり」—海へ突き出している連山の「横の線」—灯台の「縦の線」—大根島の「横の線」—村々の「面としての広がり」—電灯の「点、とその広がり」—烟の「縦の線とその広がり」—影の「面としての広がり」とこれも変化に富んでいる。これらをうまく調和させながら書かれているところに名文と言われる理由がある。

「正しい描写」の上は「上手な描写」である。描写が正しく書ける人はさらにその上を目指して欲しい(「上手な描写」に関しては「語り」の説明の後、それぞれの弱点と長所の説明のところでその一端を述べるので参考にして欲しい)。

3 「語り」とはどういう描き方か？

小説の表現方法として「描写」「語り」「会話」があることは、すでに述べた。では「語り」とはどのような描き方を言うのか「描写」と比較しながら考えてみることにする。

まず、典型的な「語り」の文章の一部を挙げてみる。

事例①

当時、小倉の町に長い髯をたれ、長身を黒い服に包んだ老異国人があった。香原口《かわらぐち》に教会をもつカトリックの宣教師で、仏人F・ベルトランといった。よほどの老齢であったが、小倉に在住していた頃の鷗外にフランス語を教えた人である。

耕作はまずベルトランを訪ねた。

ベルトランは耕作の異常な身体をみて、病者が魂の救いを求めにきたと思ったに違いない。が、耕作のたどたどしい言葉で、鷗外の思い出を話してくれと聞かされて柔和な眼を皿のように大きくした。無論、何にするのだと反問した。耕作の説明をうけとると、両手をこすり合せて、それはいい考えだと髯の頰で微笑した。

（松本清張「或る『小倉日記』伝[24]」）

「或る『小倉日記』伝」は、頭脳は明晰だが、言葉と左足に障害を持った耕作という人物が、鷗外の小倉時代に書いたと言われている「小倉日記」がどうしても見つからないことを知り、母親のふじや多くの人々の手助けを得ながら、苦労して鷗外の小倉時代の有様を調べ上げていくのだが、かなり資料を集めたところで不幸にも病に冒され亡くなってしまう。その後、「小倉日記」が見つかり、耕作の調べたことが無意味なものとなってしまう。この作品は全編、語りで描かれていて、「事例①」は調べ始めの頃のことであるが、語りの特徴が如実に示されている。

「語り」とは、発話者が、強い印象を受けた出来事（自己の体験、または他者の行為、見知った事件など）を誰かによくわかるように、主として生じた順に、あるときは具体的に、あるときは要約的に告げ知らせようとする行為（伝達する）のことを言う。

この場合、自己の体験を語る場合と、見知った他者の体験（自分が関係しない出来事）を語る場合の二種類の違った「語り」がある。つまり二種の違った「語り手」がいる。一つは、登場人物の一人、つまり当事者が語り手であり、自らの体験を回想して語るもので「回想型」と名付けておく。もう一つは、観察者の一人が他者の体験や事件などを、見たり、聞いたり、調べたりして知った後、そのことをよく思い出し、整理して誰かに語るもので、このようなものを「物語型」と名付けておく。しかし、そのいずれの場合も語る内容はすべて「過去の出来事」であり、視点は「語る場所」、ほぼ「机の前」にいて聞き手や読者に語るのである。

事例①「或る『小倉日記』伝」の場合は「物語型」であり、耕作という人物と彼と関わった人物の様子が、三人称全知（過去のこと）視点で描かれている。

「回想型」「物語型」いずれの場合も「語り」で、「描写」と大きく違う。

根本的な違いは、描写の場合は、発話者が体験する現場にいて、時をおかずに即座にその様態を述べるのに対し、語りの場合は、すでに体験し終わったことを後ほど、回想し、整理して述べるということである。

そのことは、言語化する目的の違いを生じさせる。

描写の場合、主な目的は、言語化によって、今体験していることをより明確に意識化し認識することである。故に、言語は内言的になる。描写には聞き手や読み手はほとんど必要がない。あえて言えば、自分自身を聞き手、読み手とする（もちろん、描写にも誰かに伝えようという意識はある。しかし、その度合いは低い）。

一方、語りは、「語る」という言葉が示すように、その主な目的は、誰かに何かを伝えようとすること、つまり外言的である。したがって、発話者は必ず、聞き手、読み手を意識している。

事例文の最初を読めば、そのことが如実にわかる。最初は「当時、小倉の町に長い髯をたれ、長身を黒い服に包んだ老異国人があった。—中略— よほどの老齢であったが、小倉に在住していた頃の鷗外にフランス語を教えた人である」と説明している。説明とは、相手にあることを理解させようとする言語行為に他ならない。

次の文もまた同じである。

「ベルトランは耕作の異常な身体をみて、病者が魂の救いを求めにきたと思ったに違いない—中略—耕作の説明をうけとると、両手をこすり合せて、それはいい考えだと髯の頬で微笑した」

これは、ベルトランが最初に耕作と会った時の様子はこんなだったと説明しているのだ。

この特徴がさらに次のような特徴をも生む。

語りは、聞き手、読み手に対し、伝えたいこと（印象深い感動的な出来事など）をわかりやすく、興味深く、かつ、能率的に伝えようとする。

つまり実際に起こったことを起こったとおりに具体的に述べるのではなく、伝達のための工夫がなされるということである。

また、その工夫の主なものは次のようなものである。

a、伝えたいことのみを述べ、目的に合わないものは省略するか、要約的に述べる。

b、統括的表現ができる（統括的表現とは、時間を違えて何度も同じことが起こるのをまとめて表現すること。例えば、彼女は食事前にはいつもお辞儀をする）。

c、語りでも具体的に語ることを重視するが、重要部分のみにおいてである。

d、時には興味を惹くために、生じた順序を変更する場合がある（倒置法は可能だが、原則は、生じた順に描く。変更するのはごくわずかな部分に限る）。

aの場合だが、事例文には「ベルトランは耕作の異常な身体をみて、病者が魂の救いを求めにきたと思ったに違いない。が、耕作のたどたどしい言葉で、鷗外の思い出を話してくれと聞かされて柔和な眼を皿のように大きくした」とある。この場面を考えると、実際に生じたことはもっと多くあるはずである。耕作はベルトランの家に着いたとき、最初に挨拶をしているはずだ。たどたどしい言葉とあるが、どのようにそれを言ったのかが書かれていない。ベルトランはどのようにして出てきたのか。ベルトランは耕作のどのような姿を見たのか、耕作はどのようなことを思い、どのようなことを言ったのか、などなど、細々したことがいっさい省かれ、要約されている。

このような要約的な描き方とは、連続的に生じる様々な出来事や様子などをまとめて述べることで、抽象的、説明的になる。具体的なことは述べずにそれらをまとめて要約し、語り手が伝えたいことのみを語るのである。「病者が魂の救いを求めにきたと思った」「柔和な眼を皿のように大きくした」と驚いたことだけを伝えたかったのである。

また、「ある『小倉日記』伝」には次のような文章もある。

「ふじ（耕作の母）は耕作の将来を考えて、洋服の仕立屋に弟子入りさせた。手職をつけさせるためだ。が、彼は三日と辛抱が出来なかった。——中略——ふじも強いては云わず、以後、耕作は死ぬまで収入のある仕事につけなかった」

耕作を仕立屋に弟子入りさせるには、いろいろなことがあったであろう。まず、耕作にどのようなことを言い、耕作はどのように思い、ふじにどう答えたのか。ふじは、仕立屋に行ってどのように頼み込んだのか、仕立屋はどう答えたのか、耕作は仕立屋で最初はどのような仕事をし、それがどのような結果を生んだのか。耕作はどうのようなことを思い、どのようにして辞めて家に帰ったのか。それに対し、ふじはどのように迎え入れたのか、などなど、具体的にはさまざまなことがあったはずであるがそれらすべてをまとめて「洋服の仕立屋に弟子入りさせた。手職をつけさせるためだ。が、彼は三日と辛抱が出来なかった。ふじも強いては云わず」と具体性をすべて捨象し、要約的に説明する。

「描写型」では具体的なことはできるだけ省かず写すように描き、要約は許されないのだが、「語り」

では、「語り手」が伝えたいことを要約的に述べる場合が多い。したがって、事例文のような簡潔な表現となる。ただし、非常に重要な場合には後ほど述べるように「描写」に近い方法をとる。
「b、統括的表現（いつもこうだと述べる文）ができる」を説明するため事例を挙げてみる。

事例②

読み書きに疲れるとよく縁の椅子に出た。脇が玄関の屋根で、それが家へ接続する所が羽目になっている。その羽目の中に蜂の巣があるらしい。虎斑の大きな肥った蜂が天気さえよければ、朝から暮近くまで毎日忙しそうに働いていた。—中略— 植込みの八つ手の花がちょうど咲きかけで蜂はそれに群がっていた。自分は退屈すると、よく欄干から蜂の出入りを眺めていた。

（志賀直哉「城の崎にて」[12]）

統括的表現とは、ある一回的な出来事を表現するのではなく、よくあることを表現することを言う。事例②の「よく縁の椅子に出た。—中略—その羽目の中に蜂の巣があるらしい。虎斑の大きな肥った蜂が天気さえよければ、朝から暮近くまで毎日忙しそうに働いていた。」「自分は退屈すると、よく欄干から蜂の出入りを眺めていた」などがそれにあたる。このような表現は「描写」ではできない。

次にcの、語りでも極めて重要なところは具体的に描こうとすることについてだが、その方法には三つある。一つは、具体的に詳しく説明することによる方法で、事例②の「脇が玄関の屋根で、それが家へ接続する所が羽目になっている。その羽目の中に蜂の巣があるらしい。虎斑の大きな肥った蜂が天気さえよければ、朝から暮近くまで毎日忙しそうに働いていた」などは、その例だろう。これは具体的事柄を詳しく述べて、説明する方法である。「具体的語り」とでも名付けてく。あと二つは「過去のことを、途中で今起こっているように描いてもいいのか？」のところで詳しく説明した歴史的現在と描写的現在で、それらについては、ここでは省くが、その違いのみ、後ほど詳しく検討してみる。

次にdについて説明しよう。事例を一つだけ挙げておく。

事例③

メロスは激怒した。必ず、かの邪智暴虐《じゃちぼうぎゃく》の王を除かなければならぬと決意した。メロスには政治がわからぬ。メロスは、村の牧人である。笛を吹き、羊と遊んで暮して来た。けれども邪悪に対しては、人一倍に敏感であった。きょう未明メロスは村を出発し、―中略―シラクスの市にやって来た。―中略―市全体が、やけに寂しい。のんきなメロスも、だんだん不安になって来た。―中略―しばらく歩いて老爺《ろうや》に逢い、こんどはもっと、語勢を強くして質問した。老爺は答えなかった。メロスは両手で老爺のからだをゆすぶって質問を重ねた。老爺は、あたりをはばかる低声で、わずか答えた。

「王様は、人を殺します。」

「なぜ殺すのだ。」

「悪心を抱いている、というのですが、誰もそんな、悪心を持っては居りませぬ。」

「たくさんの人を殺したのか。」―中略―

「いいえ、乱心ではございませぬ。人を、信ずる事が出来ぬ、というのです。このごろは、臣下の心をも、お疑いになり、少しく派手な暮しをしている者には、人質ひとりずつ差し出すことを命じて居ります。御命令を拒めば十字架にかけられて、殺されます。きょうは、六人殺されました。」
聞いて、メロスは激怒した。「呆れた王だ。生かして置けぬ。」――後略――

（太宰治「走れメロス」[25]冒頭）

事例③の出だしは倒置法による文である。倒置法は今を描く「描写型」の小説では絶対使えない。したがって、これは「過去のこと」を述べているのだとわかる。それに、次の「必ず、かの邪智暴虐の王を除かなければならぬと決意した」の文を読むと、これは決してメロスの言葉ではなく語り手の言葉であることがわかる（その証拠に、メロスの言葉は後ほど「呆れた王だ。生かして置けぬ」と示されている）。観察者が、彼の見知った過去の出来事を発話しようとしているのだ。「これから、このメロスの王を殺そうとする行為についてお話するのだよ」と宣言しているのである。したがって、語り手による「物語型」の小説であることがわかる。

後ほど、「描写と語りのよさと弱さ」のところで詳しく説明するが、回想型、物語型においては倒置法が可能だが、それを使う場合は、よほど気をつけないと読者に誤解や苦痛を与えてしまう。まず、倒置している文がこの事例でもわかるようにきわめて短い。長い文章の倒置は読者が理解に苦しむのである。このことは「9」節「書き出しの描き方」の項で詳しく説明するつもりである。参照して欲しい。

4 「具体的語り」「歴史的現在」「描写的現在」の違いとは？

「物語型」は事象を要約的に語る場合が多いが、具体的に語るところもある。具体的に語る方法には三種があると先ほど述べた。それらはどう違うのか比較してみたい。その事例として、次の文章を採り上げる。

事例

①療養所は、海近くの松林の中にあったが、東京から二時間を要する。幸子は、月二回ここを訪れた。一日と十五日。これは家業の印刷屋の休日であった。

②「どうだ、商売は」

英二は妻の顔を見ると最初に訊いた。十年も経営してきたのだから、気遣うのは無理もなかった。幸子は営業成績を数字にメモしたものを見せた。売上掛金から、紙代、インキ代、活字代、機械の償却費、修理代、外交員一人、職人五人、小僧二人の給料、雑費、それらを差し引いたのが生活費と英二の療養費である。一日に行ったときは、きまって先月の数字を見なければ気が済まない人であった。

「女手でよくやってくれてるね」

夫は讃《ほ》めた。月々、黒字になっている。

「あなたがお留守だから一生懸命ですわ」――中略――

夫婦にとっては、商売の話は一つの愉しみであった。大した儲けではないが、赤字よりは明るかった。
③「おれも、お前のお陰で、左うちわでベッドで寝ていられる訳だな」
英二は枕につけた顔を捻じて、横で果物を剝いてくれる幸子を満足そうに見たものであった。

（松本清張「二階」⑯）

注　〜〜〜＊要約的語り
- - - -＊具体的語り
――＊内部をも知っていて述べている内部の語り
＝＝＊解説的語り

以上、事例はすべて視点を「机の前」においた語りである。具体的な様子も書かれているが、それも叙述場所からの語りである。この「語り」を簡潔に言えば、聞き手に伝えたい事象を具体的に説明することである。この説明を「具体的語り」と名付けた。例えば「療養所は、海近くの松林の中にあった」などそれである。

また、前述したように、視点はすべて「机の前」にあって、そこから、すでに起こったことを読者に知らせようという姿勢で書かれている。したがって、冒頭ということもあってか解説が多く、「歴史的現在」や「描写的現在」の文はない。そこで、筆者が事例の文を変化させ、それらを描くことにする。そのことによって「具体的、要約的語り」と「歴史的現在」や「描写的現在」との違いを明らかにしていく。

① 注 〰〰は原文と変わったところ。

「具体的、要約的、解説的語り」**（原文）**

療養所は、海近くの松林の中にあったが、東京からは二時間を要する。幸子は、月二回ここを訪れた。一日と十五日。これは家業の印刷屋の休日であった。

「歴史的現在」（筆者記、以下同じ）

海近くの松林の中に療養所が見える。東京からは二時間を要した。幸子は月二回ここを訪れる。一日と十五日。これは家業の印刷屋の休日だからである。

「描写的現在」

松林の中に療養所が見えた。その向こうには海が見える。幸子は腕時計を見る。東京から二時間すぎている。幸子は夫を見舞うため、家業の印刷屋の休みの日、一日と十五日、毎月二回ここを訪れる。今日は三月一日だ。

②の一部

「具体的語り」**（原文）**

「どうだ、商売は」／英二は妻の顔を見ると最初に訊いた。

「歴史的現在」

「どうだ、商売は」／英二は扉を開けて入ってきた妻の顔を見るなり訊いた。

「描写的現在」

幸子が扉を開けて病室に入る。「どうだ、商売は」英二はこちらを向いて尋ねる。

③の一部

「具体的語り」**（原文）**

「おれも、お前のお陰で、左うちわでベッドで寝ていられる訳だな」

英二は枕につけた顔を捻じて、横で果物を剝いてくれている幸子を満足そうに見たものであった。

「歴史的現在」

「おれも、お前のお陰で、左うちわでベッドで寝ていられる訳だな」

英二は枕につけた顔を捻じて、横で果物を剝いてくれている幸子を満足そうに見つめている。

「描写的現在」

「おれも、お前のお陰で、左うちわでベッドで寝ていられる訳だな」

幸子はベッド脇の備え付けの机の引き出しを開け、ナイフをとりだし、持ってきた果物を一つ取って果物の皮を剝き始めた。

英二は枕につけた顔を捻じってこちらを向き、満足そうにそれを見つめる。

このようにそれぞれが異なっている。その根本理由は、視点のある場所や時間の違い、見る対象の位置や距離などの違いによる。

「具体的語り」の視点の時間は「語っている今」にあり、見る対象は過去のことを思い出したイメージであるが、思い浮かべたイメージが常に現在的である。これはビデオの中の時間が常に今であるのと同じである。しかし、それは過去の出来事であることがわかっているので、過去の出来事として描こうとする。さらに、「語り」でよく使う要約や統括の残滓も具体的語りの中に紛れ込んだり、さらに、出来事の中でも多くを省き、重要なところのみを表現したりする。例えば「横で果物を剝いてくれる幸子を満足そうに見たものであった」では、まず「横で果物を剝いてくれる幸子」とかなり要約的表現であり、さらにそれに至る妻の動作が省かれ、果物を剝くという最も重要なことのみを簡潔に描いている。さらに、「見たものであった」と、今だけではなく、そのようなことがいつもある、というニュアンスを含んでいる統括的な要約として描いている。

「歴史的現在」は「具体的語り」と視点の位置が同じで、見つめるイメージも同じだが、ただし、思い出したイメージをそのまま書こうとするので、「具体的語り」より、より繊細で、具体的になり、その対象が今存在しているものとして表現される。故に、「具体的語り」と対象を見る方向は同じなので、よく似てくる。ただ、思い出したイメージを今生じていることとして見ているので統括表現はできない。ただし、要約表現はできる。

「描写的現在」は視点を、「観察者」から誰か「登場人物」の一人に移し、その視点から描かなければならない。事例では妻の幸子に視点をおき、出来事が生じている今時間へタイムスリップして、幸子の眼から出来事を描くことになる。したがって、以前、描写の項で述べたように、倒置法は使えない。原文の「どうだ、商売は」／「英二は妻の顔を見ると最初に訊いた」は倒置法的である。そこで順序を変え「幸子が扉を開けて病室に入る。『どうだ、商売は』と英二はこちらを向いて尋ねる」とするべきである。

これらのいずれの方法をとってもいいが、どれかに決めれば、作品の終了まで過去を現在化するときは、終始同じ方法で行うことが大切である。

5 「描写的語り」とは、どういう描き方か？

以前「描写的語り」（描写的現在とは違う）という言葉を使ったことがある。今回はこれについて詳しく説明する。簡潔に言えば主人公が「今、見えるもの、今していること、今思うことを写すように」描けば「描写」であるが、観察者が「今、見えるもの、登場人物が今していること、中心人物が今思っているだろうこと）を写すように」描けば「描写的語り」である（ただし、思っていることは、全知視点ならできるが客観視点ならできない）。「描写的語り」をわかってもらうために、事例を一つ提示してみる。

事例①

「なら、どういうことなんだ。はっきりしろよ、はっきり。なにそんなにぐずぐず迷ってるんだ。煮え切らない野郎だな」

「そうだよ。あんた自分から話があるって言い出したんだよ。なのにぐずぐずして、男らしくないわね」

父親と姉にたてつづけに詰め寄られて、健一郎は顔を起し、椅子の上で背筋を伸ばした。決然として見えるそのようすの割りには、口から出された声は消え入らんばかりになっている。

「わかっているよ。おれ、男らしくはなれないんだ。みんなびっくりしないでほしいんだけどさ、おれはほんとはゲイなんだよ」

一息に言った健一郎が、すぐにまた眼を伏せた。呆気にとられた顔の美由紀が、弟を見やってことばを失っている。

「ゲイってなんだ？」

父親はきょとんとして息子にたずねる。

（勝目梓「家族会議㉕」）

「描写」とは、主人公自身が今していること、感じていること、見ているものやことを写すように発話するのに対し、観察者のひとりが、中心人物の傍らから、または俯瞰して、中心人物やその周辺の今の様子を説明などを入れながら描写することをいう。筆者はこれを「描写的語り」と名付ける。この「描写的語り」は「描写」ときわめてよく似ているが、いくつかの点で異なってもいる。例えば、観察者（この事例では三人称客観（今）視点）が発話するのは誰かにそれを伝えるためであり、「語り」の要素が強く入っている。それに、語る対象との距離が大きく、要約も「描写」よりも多くできる。さらに解説的説明も入る。ちょうどラジオにおける野球の実況放送のアナウンサーの発話とよく似たもので、「描写」と「語り」のちょうど中間的なものである。

したがって、作品の特徴によって「描写型」の小説とも、「物語型」の小説とも考えられる。事例①の場合は「描写型」の小説の一部と考えた方がいいであろう。ただ、一人称的三人称（今）視点、つまり健一郎が発話しているとは考えられない。「ている」が使われていることから「今」のことが描かれていることがわかるが、「決然として見えるそのようすの割には、口から出された声は消え入らんばかりになっている」という言葉は健一郎が自ら喋った言葉とは到底考えられないからだ。これは傍から見ている観察者が述べた言葉である。かなり解説的な表現で、観察者の「描写的語り」と考えるのが妥当である。

以上、「描写」「語り」(「具体的語り」「歴史的現在」「描写的現在」)について述べたが、これらはすべて視点の在り方によって決まる。視点をしっかり位置づけてそこから描けば、自ずと生じてくる言葉である。なにも難しいことではない。

6　「描写」と「語り」のよさと弱点
——よさを生かし、弱点を克服する方法は？

「描写」のよさは、いきいきとした表現ができ、読者はイメージがしやすく、その世界へ入りやすい。

「描写」の重要性は早くもアリストテレスの「詩学」[a]においてミメーシス（模写）という語で示され、「作家が作家であるのは彼が描写をおこなうからこそであり」と述べられ、さらに、「描写」が好まれるのは人間に備るまねをすることを好むという自然的性質によると考え、まねをすることが学ぶことの根本であるとしている。したがって、作家は「画家―中略―と同じように、それらの出来事を広い意味で「描写」（ミメーシス）するのだ」と言い、「作家の『創造性』は、この広義における描写行為そのものの中にある」とまで言っている。このように「描写」を作者にとって最も重要なものとしている。

しかし「描写」にもまた弱点がある。特に次の二点は、描写のアポリアと言っていい。

一つは、行為や出来事や思考や会話などの「描写」には問題がないが、静止しているもの、例えば物や人物や、動植物の姿・形や、辺りの様子などの「描写による認識」において、「現実でのそれらの認識」との間には大きな違いがある。現実では、静止しているものの姿・形は、瞬時に、しかも充実した形で認識できる。しかし、「言語による描写」の認識では、一時にはそれらの一部しか示されず、一部が次々と示され、読み手はそれらを統合しながら想像していかなければならない。現実においては瞬時にとらえられるものを小説では、時間的に、しかも概念的にしかとらえられない。ある花に感激しその花を具体的に表そうとしても、それは至難の業である。

これを克服しようとして、様子を詳しく書けば書くほど、現実での認識との時間的ずれが大きくなり、かえって読者には伝わらなくなる。描写は長々と書かない方がいい。ではこの問題をどうすれば克服できるのか。

克服の一つは、描きたい対象の典型的な様子を描くことである。それによって読者の想像を刺激し、読者に全体を想像させることができる。例えば、列車を待っている冬の駅の線路の様子を「くろぐろと平たく舞いあがるものがあり、それが線路の宙空から斜め上へとせりあがっていく。一枚の新聞紙だった」（高橋たか子「乗車錯誤」[29]）と書いているが、風が吹いて寒くてしかたがない、うらぶれた駅の様子がなんとなく頭に浮かんでくる。さらに、遅れていた電車がようやくホームに入ってきたところを「列車が塗料のてらてらした車体で、勢いよくなだれこんできた」（前同）とも書いているが「塗料のてらてらした車体」という表現で列車の全体像が浮かんでくる。

克服の今ひとつは、比喩を上手に使ってその様子を描くことである。夕暮れの様子を次のように描くと空全体の様子まで思い浮かぶ。「中空にかかった一つの楕円形の雲が、ちょうど夕陽を背後に隠していて、その雲はまるで中に光源をもつもののように、水蒸気の粒子の一つ一つがまばゆく発光している」（前同）というように。さらに、夕陽が落ち、空が薄暗くなっていく様子は「たったいま見あげていた大きく膨らんだ雲は紫がかった扁平な面積にすぎなくなっていた。それは陶器のようになめらかな灰いろの空の隅にのこされた、ひときれの布のように覚束ないものに成り果てていた」（前同）とある。これもまた、夕暮れの空の典型として一つの雲を取り上げ、その様子を比喩を使って、暮れていく空を描こうとしている。このように典型と比喩によって一気に全体を示せるのである。

比喩については、後ほど章を改めて詳しく説明するつもりなので、それを参考にして欲しい。

ところで弱点のもう一つは、日をまたいで描くときの難しさである。一日のことを描くときはこの問題は生じないが、日をまたぐときの次の章の最初の描き方が難しい。どうしても「二週間が過ぎた」とか「二日後のことである」とか「金曜日に」とか最初に説明を入れてしまう。すると、その後のことは、すでに終わった出来事となり、後からそれらを回想して述べているようになってしまう。つまり「描写型」が途中から「回想型」に変化してしまうのだ。例えば、離婚した日々の様子を描いている小説があるとする。その一章は「私は会社を出るとすぐにケーキ屋さんに向かった。今日は絵美の誕生日なのだ」と、あり、今の様子を描いていく描写型である。ところが、次の章の冒頭が「次の年の三月に絵美が三歳になり、私は両親と同居しはじめ、手伝ってくれるという母と協力して子育てに取り組むことにした」という要約文による説明から入っている。するとこれを述べている発話者は今どこにいるのか、つまり視点はどこにあるのかと考えてしまう。どうも「机の前」にいるとしか考えられない。とするなら、これはすでに終わった出来事を「私」が回想して描いていることになる。一章は描写型で主人公の「私」が現場にいて、つまり視点が現場にあって、今、生じていること、したこと、見えるものを書くという「描写型」であったものが、二章では、机の前にいて、過去を「回想」して書くことになっている。そのあと、描写的に描いても、それは「机の前」から視点を現在へ出張させた「描写的現在」

で、基本は「回想」となってしまう。

このように、描写中心の小説は、日をまたいでつづけるところが難しい。章の最初に、日時の経過を説明することにより、描写型が崩れてしまうのだ。これが欠点である。

そこで、作者のひと工夫がいる。とりあえず章のはじめは必ず描写から入る。先ほどの例では、次のように変えるといい。「帰りの電車に乗った。去年は慌ててケーキ屋さんに駆け込んだのだが、いいケーキが残っていなくて、しかたなく売れ残りのケーキを買って帰ったことを思い出した。しかし、今日は違う。母が先に注文して、お昼に取りに行ってくれているので、ケーキ屋さんに行かなくてすむ。それに、早いものだ、あれからもう一年が経ったのだ。絵美も三歳になる。親といっしょに住んでいる弟妹たちも賛成してくれて、今は両親たちと同居している。とても助かる」というふうに現場に視点をおいて発話しつづけることである。日にちの経過は描写の中にそれとなく入れ込むことだ。

次に「語り」のよさだが、「語り」は過去の出来事を書くのだから、いくらでも要約できる。「描写」は瞬間に近い「今」のことしか描けないので、省略ができても要約はできない。例えば駅に向かうことを描くなら「玄関のドアに鍵をかけ、駅に向かって歩き出した。駅に着き、改札を抜けた」と点描的に書かなければならない。しかし、「語り」では「朝、駅へ行った」と要約的にも書けるし、「朝、新幹線で東京へ行った」と要約できる。「語り」のよさは自由に要約的に述べることができることである。読者に必要最小限のことを要約的に示せる。また、衝撃的な出来事は要約的に示した方が効果的なこともある。語りは、能率的で、スピード感が出せる。

しかし、要約度を高めすぎたり、読者が体験したことのない事項を要約的に示したりすると、読者は理解できない。さらに要約的表現は知的理解になるので情緒的な感興を与えることができない。『小説の技法』[e]でレオン・サーメリアンも次のように述べている。「要約は、場面の持つ生気、直接性、登場人物達によって演じられる行動の現在性を欠いている。現在進行中の事件を示すことと、単に事件について語ることでは、明らかに相違がある」。

「語り」とは事象の具体像の説明だが、要約度が高まればそれだけ、読者は具体像が描けなくなり、単なる抽象的説明となる。筆者は、抽象度の高い要約的説明を「概括的説明」と名付けて「語り」とは区別している。

この克服方法は重要な場面では先に述べた「歴史的現在」や「描写的現在」を使うことである。特に「回想型」の小説においては「描写的現在」を多く使うことを勧める。さらには思い切って「回想型」をやめて「描写型」の小説に変えることもひとつの方法である。

7 「説明」の入れ方を間違えば文章をだいなしにする
——解説的説明、概説的説明の入れ方

説明には次の二種類あると筆者は考えている。「解説的説明」と「概説的説明」である。

「解説的説明」とは、難しい語句や事象などを読み手が理解できるようにやさしく説明することや、事象の原因や理由やこれからの予定などを述べたり、人物の性格や経歴や状況などを簡潔に紹介することである。それらの実例を挙げると、

・午後からの実習はハトロン紙で洋服の型紙を原寸大に作成することだった。（これからすることの解説的説明）

・私たちは「校外学習」で次の金曜日に上着を買いに行くことになっていた。（同じくこれからすることの解説的説明）

・「Kは同じ医者である鷗外に深く私淑し、これまで『森鷗外』『鷗外の文学』『或る日の鷗外先生』など鷗外に関した小論や随筆をかなりかいてきていた」（松本清張「或る『小倉日記』伝[24]」人物の解説的説明）

それに対し「概括的説明」とは事象を要約して述べることである。例えば鹿を撃ち殺したことを次の

ように書けば描写である。

「前方の鹿に鉄砲の照準を合わせ、引き金を引いた。鹿は前足を崩して倒れた」

これを次のように書けば概説的説明になる。

「私は鉄砲で鹿を殺した」「彼はいつも鉄砲でその辺にいる鹿を殺した」「彼は鹿を食べ物にしていた」

「概説的説明」は事象をまとめたり、抽象度を高め、簡潔にすることによって成立するので、描写と地続きである。したがって、作者は「描写」と思っている場合がある。例えば次のような文は「概説的説明」である。

・夏休みの終わりの日、私はAさんといっしょに、大阪の人形専門店へ人形を見に行った。（夏休みの終わりの日にしたことを大雑把に書いて説明している。概説的説明）
・事務室の前の傘立てはびしょ濡れの傘ではち切れそうになっている。そんな朝だった。（朝には時間的な巾がある。抽象度の高い語である。また、いろいろな特徴を持った朝がある。この朝を典型的な事象を出して説明している。解説的説明）

小説は主に描写、語り、会話で書かれている。しかし、ときには、解説（原因、理由なども含む）とか事象の概説的説明とかが書かれる。説明を入れないと読者に容易に理解してもらえないからである。

しかし、これが結構難しい。特に、描写中心の小説の場合は、説明をしないですむことが最も望ましい。

なぜなら、説明は主人公にとっては不要なものであり、伝達する他者のため、特に読み手のためのものである。それに、説明を入れると作品の流れが中断してしまう。しかし、描写中心の小説の場合でも、どうしても説明しなければならないこともある。ではどのような入れ方をすればいいのか、また、入れてはいけないところはどこかなどを、事例を挙げて検討してみよう。

ふすまがすうっと開く音がした。

ミシンのパンフレットを広げ、買おうかどうかと思い悩んでいる最中だった。（----の部分が解説的説明＊以後同じ）

「ミイちゃん、遊びに来たの」

悦代は振り向かずに声をかけた。ミイとは私の家が飼っている猫の名前だ。

「誰がミイちゃんや。おまえ、部屋で何をこそこそしているんだ」

夫の修造の声が飛んできた。

夫との確執を描き始めた最初の部分である。おもしろい展開が期待できる文章だが、説明の入れ方が気になる。最初の説明は、解説的説明で、ふすまが静かに開けられたときに主人公が何をしていたかの説明である。後の説明も解説的説明で、ミイという固有名詞が書かれているのだが、それが何なのかの説明である。いずれも描写の途中に入れられているので、流れを中断させている。しかもこの説明は描写でも書けるものである。描写で書けるものをわざわざ説明で書いているといえる。このようなミスが案外多い。

描写で書けるなら描写で書くこと。次のように書き直すと説明は要らなくなる。

悦代は居間のソファーに座り、パンフレットを広げながら、ミシンを買おうかどうかと悩みつづけた。

するとうしろのふすまがすうっと開く音がした。猫のミイがやってきたな、と思った。

「ミイちゃん、遊びに来たの」

振り向かずに声をかけた。

「誰がミイちゃんや。おまえ、部屋で何をこそこそしているんだ」

夫の修造の声が飛んできた。

「ミシンのパンフレットを広げ、買おうかどうかと思い悩んでいる最中だった」は、順序を入れ替えると、描写で書ける。次の「ミイとは私の家が飼っている猫の名前だ」も、そう判断した事実のとおりに書くとこれも説明ではなくなる。このように描き方をちょっと変えるだけで、説明が描写に変わる。説明はできるだけ避けた方がいい。

次に示す文章もまた細切れに説明を入れている。これは説明を描写には変えられないので、他の方法で読みにくさを解消する。まず、ミスのある文章を示してみる。

面会時間の三時にあわせて家を出てきた。家と病院は車で十分もかからない。院内にあるセルフサービスの喫茶店で会うことになっていた。

四月の陽の光を背にしている多田さんは青年のようだ。顔はシルエットになり、ウエーブした髪の輪郭を金の粉が縁どっている。運んできたトレイにレモンティーとホットコーヒー、それに、ニューヨークチーズケーキが載っている。多田さんはレモンティーを手前に引き寄せ、グラニュー糖をひと匙いれた。ほっそりした指でスプーンをもちカップの中をゆっくりとかき回している。——中略——

「早くこれも」

多田さんはチーズケーキをこっちに押した。自分は昼ごはんを食べたばかりだったからとケーキはひとつしか頼まなかった。大振りなフォークを使ってケーキをきった。堅い感触が指に伝わり、少し力を加えておろしくしていく。ひとかけらを口にいれた。

ずい分以前に約束してあった定年退職および再就職祝いの食事の約束を先々週に体調が悪いとキャンセルされたので、胃でも悪いのかと軽く思っていた。それが昨日病院からだと電話がかかってきたのだ。

「全然どこも悪そうでないですよ」

口の中のチーズケーキをブラックコーヒーで軽く流しながら言った。

「そうや。じっとしてたらどうもない。階段を上がったり駆け込み乗車なんかしようとしたら息があがってしまう」

不整脈のための検査入院だった。

主人公が多田さんを見舞いに病院を訪れた一場面であるが、スムーズには読めない。喫茶店で多田さんと会っているところを描写しながら、見舞いに来たいきさつを説明している。それによって流れが中断するので、流れに沿って読めない。それに、肝心の多田さんとの関係が出てこない。主人公の年齢も性別もわからない。これらをどう克服すればいいのか？

まず、主人公が現在どこにいて何をしているのかを最初に書くべきだろう。冒頭を次のように描いたらどうか。

「私と多田さんは、病院内にあるセルフサービスの喫茶店へ入って、向かい合わせに座った。多田さんの背には四月の陽が差し込んでいて、顔はシルエットになり、振りかけられた金粉がウエーブした髪の輪郭を縁どっている。まるで青年のようだ」

多田さんという人物が出てきたので、このような場合、即座に、多田さんのことや主人公との関係を説明する必要がある。また、それに関係して、自分のことも説明すべきである。そこで、その後を次のように書けばどうだろう。

「私は、夫との離婚が成立してまもなく、癒しのためにと陶芸教室に入ったのだが、そこに多田さんがいて、いろいろと教えてくれた。多田さんは陶芸の経歴も古く、腕も確かで、すぐれている。私とは比べものにならない。もうプロと言っていいほどで、私は仲間の中で彼を一番尊敬している」

さらにこれにつづけて、病院に見舞いに来たいきさつを述べるべきである。説明は、小出しにするのではなく一気にしたほうがいい。

「ずいぶん前、多田さんとの間で定年退職や再就職のお祝いをしようと約束していたのだが、先々週、体調が悪いからといってそれをキャンセルしてきた。胃でも悪くなったのかと軽く考えていたのだが、昨日、病院から入院したのだと言って電話が掛かってきた。不整脈がひどく、検査入院らしい。それで、慰謝料を元手に始めた小さな店を、約束の三時に間に合うようにと雇いの女の子に任せて、車で十分ほどの病院へ慌ててお見舞いに来たのだ」

これ位でいいだろう。後は、すべて喫茶店でのやりとりを描写で書けばいい。直した文章を次に挙げてみよう。

私と多田さんは、病院内にあるセルフサービスの喫茶店へ入り、向かい合わせの席に座った。窓から漏れてくる四月のやわらかな陽の光が多田さんの背に遮られ、顔はシルエットになっているが、頭はふりかけられた金粉が輝き、ウエーブした髪の輪郭を縁どっている。まるで青年のようだ。

私は、夫との離婚が成立してまもなく、癒しのためにと陶芸教室に入ったのだが、そこに多田さんがいて、いろいろ教えてくれた。多田さんは陶芸歴も長く、腕も確かで、私とは比べものにならないほどすぐれている。もうプロと言っていいほどで、私は仲間の中で一番彼を尊敬している。

ずいぶん前に、多田さんとの間で定年退職や再就職のお祝いをしようと約束していたのだが、先々週、体調が悪いからといってそれをキャンセルしてきた。胃でも悪くなったのかと軽く考えていたのだが、昨日、病院から入院したのだと言って電話が掛かってきた。不整脈がひどく、検査入院らしい。それで、慰謝料を元手に始めた小さな店を、約束の三時に間に合うようにと雇いの女の子に任せて、車で十分ほどの病院へ慌ててお見舞いに来たのだ。

自分は昼ごはんを食べたばかりだったので、私の前にはコーヒーだけがあったが、多田さんのトレイにはレモンティーとホットコーヒー、それに、ニューヨークチーズが載っている。多田さんはレモンティーを手前に引き寄せ、グラニュー糖をひと匙いれた。ほっそりした指でスプーンを持ちカップの中をゆっくりとかき回した。　―中略―
「早くこれも」
多田さんはチーズケーキをこっちに押した。私は大振りなフォークを使ってケーキをきった。堅い感触が指に伝わり、少し力を加えて下におろしくしていく。それから小さく切ったケーキのひとかけらを口にいれた。

前述したように説明は小出しにするのではなく、適切なところ（特に冒頭近く）でいっきに行うことが大切である。

さらに最も重要で、かつ、多くの人がミスをする説明箇所を挙げてみよう。「描写型」の小説（今生じていることを即座に写すように描いていく小説）で、絶対説明を入れてはいけないところが二カ所ある。そこで多くの人がミスをする。

まず一カ所は、前述したことだが、作品の「書き出し」や章の「書き始め」のところである。「作品の冒頭や章の書き出し」は「描写型」の小説では絶対説明から入ってはいけない。なぜなら、書き出しを説明から入ると、それは過去の話で「物語型」か「回想型」の小説と思わせるからである。ぜひ説明したいことがあれば、数行「描写」で事象を描いてから、説明を入れるようにするといい。その理由は次の二つの文章の違いを見れば納得がいくだろう。

①

森田とはここ数年間会っていない。彼は会社の都合でこの町から遠いところへ赴任していたからである。森田は高校時代の友人で、勉強はかなりよくできたし、何事にも熱心な男だった。森田のことはときどきは思い出す。

森田は子犬を抱いて太郎橋のところに立っていた。顔は日焼けしていたが、優しそうな表情をしていた。

②

森田は子犬を抱いて太郎橋のところに立っていた。顔は日焼けしていたが、優しそうな表情をしていた。

森田とはここ数年間会っていない。彼は会社の都合でこの町から遠いところへ赴任していたからである。森田は高校時代の友人で、勉強はかなりよくできたし、何事にも熱心な男だった。森田のことはときどきは思い出す。

①と②の文章はどう違うか？　①の最初の段落は説明文、後の段落は描写文である。最初の説明文には視点提示語はない。このような場合は普通、視点は机の前にあって、すでに発話者の見知ったこと

（過去のこと）を伝えようとしていると考える。特に、説明文の段落の最後の文「森田のことはときどきは思い出す」によって、後の段落の「森田は子犬を抱いて……」は思い出した内容の一部でこれからその内容が詳しく描かれるのだと考えられる。したがって、この文章は過去の森田との出来事を思い出して描く「回想型」の小説の出だしだと考えられる。

それに対して②の最初は描写から入っている。この段落にも視点提示語がないが、文章全体が描写文なので、描写は「今」しかできない。故に、視点は「今」にあると考えられる。そこで後の段落の説明は、発話者が「今」「現場」にいて、そこから森田を見つめながら、森田について説明しているととらえられる。小説の型から言えば「描写型」の小説だということである。故に「描写型」の小説は章の始めは、②のように描くべきで、①のような描き方は絶対してはいけないということだ。なぜならそれ以後がすべて「回想型」に変化してしまうからである。

このことを考えて、次の章の書き出しがこれでいいかどうかを考えて見よう。この章の前には、高校に入学してからしたことや出会ったことがいろいろ描写され、「描写型」の小説として描かれていた。そうして、新しい章に入るところである。

入学した秋には文化祭が行われた。学校の玄関前で、私は招待した隣に住む洋子さんを待ちつづけた。

この描き方は、作文の冒頭のようで、すでに文化祭が行われてしまった後で、その回想を書く描き方である。「入学した秋には文化祭が行われた」が、視点限定語の役目を果たし、視点は「机の前」におかれている。これは次のように改めるべきである。

学校の玄関前で、私は招待した隣に住む洋子さんを待ちつづけた。今日は入学して初めての秋の文化祭が行われている日なのだ。

「描写型」の小説ではもう一つ、説明文を絶対書いてはいけないところがある。それは、今生じていることを描くところである。「描写型」の小説は、今の事象を即座に描写で書くというのが原則であるのに、「今」を要約して説明的に書けば原則違反である。例えば次のような文章はどうか。

詩織を最寄り駅まで送る途中、私は今日のお礼を言い、少し相談に乗って欲しいことがあると伝えた。それで、ベージュ色の素敵な上着を着た詩織は私を喫茶店に誘ってくれた。

これは、喫茶店に行くまでの出来事をまとめて述べた要約の文で「概括的説明」（統括表現も要約表現も含む）である。物語の展開にはあまり重要でないので要約的に説明したのだろうが、「描写型」の小説ではこれは絶対にしてはいけない。なぜなら、先ほど述べた「描写型」の小説では省略はしてもいいが、要約はしてはいけない。要約の事象はすでに終わった過去のことであり、要約が入ると、今の中に突然過去が入り、読者は強い違和感を覚える。ここは次のように改めるべきである。

「駅まで送る」と言って、詩織と並んで駅に向かった。詩織のベージュ色の素敵な上着に見とれながら歩いた。

「今日はごめん。いろいろ手伝ってもらって助かったわ」と私は詩織にお礼を言い、「相談したいことがあるんだけど」と付け加えた。「そう、未知は忙しかったからあまり話ができなかったね。じゃ、あそこの喫茶店にでも入ろうか」と詩織が言った。

これらのミスをもう一つ例示しておこう。

授業が終わった後、休憩時のおしゃべりだ。世界の戦争の話からベトナム戦争の話に移り、私はどこかで聞きかじった知識で「最近、アメリカはイランと戦争して勝ったんだね」と仲間に入ったが、みんなは首をかしげた。

これなども、私が世界情勢の知識のないことを暴露して恥ずかしかったことを述べたいところを大雑把にまとめて説明している。「描写型」の小説では「今」のことは絶対まとめて書いてはいけない。過去のことは「概説的説明」をしてもいいが、「今の出来事」を「概説的説明」などで要約して書いてはいけない。

次のように改めるべきだ。

二時間目の世界史の授業が終わり、さとみとゆみが机の周りにやって来た。「今、国と国が戦争しているのは、イスラエルとパレスチナだけかな。先生はいろいろな国で戦争が行われていると言っていたけど」とさとみが言った。「現在の戦争は小国どうしや内戦が多いそう。それにアメリカがどちらかの国や側について参戦するそうよ。その例がベトナム戦争だったと先生が言っていた」とゆみがつづけた。「でも、アメリカが負けたんでしょう」とさとみ。「最近、アメリカが戦争して勝ったことがあるのかな」と、さとみがつづける。私は会話に参加したくなって、どこかで聞きかじった知識をもとに「最近では、アメリカはイランと戦争して勝ったんでしょう」と言った。「ええっ」とさとみとゆみは首をひねった。「それ、イラクじゃない」とゆみが言う。

8 「比喩」を大いに使ってみよう
——新しい比喩についての考え方とは？

古くから比喩はレトリックの重要な一つとして重視されてきた。ところが、近代になって、自然科学が発達すると、その影響からか、小説世界では自然主義文学が台頭し、事実や真実が重んじられるようになって、レトリックはそれらに反するということで、軽視されるようになった。

比喩も、それまではもっぱら文章を美しく飾るものとしてとらえられてきたため、美文調の文章の衰退とともに影をひそめることになった。

ところが、イギリスの文芸評論家で、意味論の研究者でもあったI・A・リチャーズが、レトリックの新しいとらえ方を唱え、『新修辞学原論』[f]を著し、これまでほとんど無視されてきた修辞の新しい機能に光を当て、修辞学を復活させようとした。なかでも比喩は、新しくとらえ直すべき最たるものであった。彼はその著書の中でヒュームの言葉を引いて「平易な言語は本質的に不正確である。新しい隠喩によって初めてそれは的確なものとなる」と主張した。

原著はすでに一九三六年に出版されているのだが、日本で翻訳・出版されたのは、戦後、一九六一年である。それ以来日本でも古い比喩の考えを脱し、新しい比喩観が重視されるようになった。

比喩には、大きく言えば次の二つの機能がある。

1．伝達の機能

2．認識の機能

美的機能は1に入るのだが、その他に、受け手の理解が難しい抽象的なものや、未知のものを説明するのに具体的なものを比喩として理解させようとすることもある。例えば、湖を知らない子供に、「ばかでかい池のようなもの」といったふうに。しかし、文学においては、やはり、2の認識の機能が重要であり、さらに、筆者はそれに付け加えて、発話者の心が提示されることを重視したい。新しい認識、および、心情提示。これが、文学における比喩の最も重要な機能である。

ところで、これまで「比喩、比喩」と言ってきたが、比喩とはいったいどのようなものか。

比喩とは、ある「コト・モノ」を言語で表現するのに、普通の言い方をしないで、それからかなり逸脱したモノ・コトの様子でもってそれらを表現する言語形態のことを言う。さらに、岩田純一は、『比喩』の心」（『比喩と理解』Ⓖ）において、次の二つの要件を満たす必要があると述べている。

（1）たとえられるモノとたとえるモノが、異なる範疇に属しており、かつそのことに話者が気づいて使っている（意図性）こと、（2）たとえられるモノとたとえるモノとの間に類似性があること。

しかし、これらの定義は、いずれも比喩を表現体としてとらえたもので、比喩表現をするという「動」としては考えられていない。つまり行為としては考えられていない。小説の書き手である我々にとってはこれでは満足できない。そこで、「行為」としてとらえたものがないか探ってみたのだが、先ほど引用した岩田は「比喩ル」という言葉をつかってそれを表していた。しかし、これでもまだ、表現者としてはあまり役立たない。筆者が感心したのは、比喩を「○○を○○と見立ててとらえる」とした尼ヶ崎彬の考えである（『日本のレトリック』ⓗ）。

これは何も尼ヶ崎の独自の考え方ではなく、日本の和歌、俳句の考え方らしい。これを聞いたとき、筆者は比喩が一気に身近なものになった。つまり比喩は、事象を新しくとらえるための認識装置、表現装置であると思えたからである。

顕微鏡は目に見えないものを見る認識装置として発明され、レントゲンは身体の内部を見る装置として発明された。それと同じように、比喩はものを新しくとらえ、表現する認識・表現装置と考えられる。この考えにより従来の比喩の考えは払拭されるものと筆者は考える。

小説は発話者がコト・モノを個性的にとらえることが重視されるが、その個性が出るところが二つある。一つは「何のどこ」に注目したかである。二つ目は、その注目したコト、モノを「どのようにとらえ、どう表現したか」である。比喩は後者に属する。個性的な注視事項をさらに比喩によって個性化するのである。個性化が二重になるところである。モノ・コトが発話者に与える感覚や印象や感情などが人それぞれで違い、個性的受け取りが成りたつ。しかし、それら印象、感情、感覚などの内面を直接示すことはあまりよくない。内面は外部の働きかけによって初めて出現するもので、直接、その個性的内面を示してみても読み手には伝わらないからである。そこで、印象を与えたコト・モノを普通の表現以上に迫力のあるコト・モノと見なして、新しい外部のイメージを作り、それを表現するのである。

先述した尼ヶ崎が引用した江戸時代の書「毛吹草」に掲載されている俳句を私も使わせてもらい、具体的に検討してみる。それは次のような俳句である。

散る花は音なしの滝といひつべし　昌意

桜の花の散る様子に感動した作者はその感動を表すのに、花の散る光景を滝と見立てて、それはまるで音のない滝のようだと言うことで、自分の心情を示し、同時に、散る花の有様に音なしの滝という新しい見方を示したのである。

これは、次のような過程を経て、印象や感動を外部化したものである。

注目した外部のコト・モノ（桜の花に注目→さらに散る花に注目）→強い印象を受ける→印象を与えたコト・モノよりもさらに強いコト、モノを見つけてそれと見立てる（滝と見立てる）→事例のような比喩表現となる。

以上、比喩の重要な事項を述べたが、最後に、比喩の種類について少し述べておきたい。

比喩はいろいろと分類されているが、ここでは伝統的な比喩の分類に従い、小説によく使われる、直喩、隠喩、換喩、提喩という分類に従う。直喩、隠喩はすでにおなじみの比喩なのでどのような比喩なのかの説明は省くとして、換喩、提喩のみ説明しておく。換喩とは喩えられるモノと深い関係のある事物でもって喩える比喩である。例えば「赤ずきんちゃん」（常に赤ずきんをかぶっている主人公のこと）や、「霞が関」（官僚機構の主な部分が霞が関にあることから、官僚機構をそう呼ぶ）などがそれである。

提喩とは全体で部分を、類で種を示すもので（その逆も可）換喩とよく似ているが、喩えるモノと喩えられるモノとが同質であることが特徴である。例えば「花」で「さくら」を示したり（さくらも花の一種）、太閤さんで豊臣秀吉を、お大師さんで弘法大師を示すような比喩。
次に文を主辞部と述辞部とに分けると、圧倒的に述辞部の比喩が多い。が、ときどき主辞部の比喩もある。例えば村上春樹の若い頃の作品「風の歌を聴け㉘」で、次のような文がある。

「金持ちなんて・みんな・糞くらえさ」

鼠はカウンターに両手をついたまま僕に向って憂鬱そうにそうどなった。

鼠というのは友人の渾名であろうが、この渾名は、先ほど述べた「換喩」でも「提喩」でもない。なぜなら、友人と本当の鼠とは関係がないし、友人と鼠が同質でもない。故に、この渾名は隠喩である。つまり「彼は鼠だ」ということで、彼の性格が鼠に似ているということなのだろうか。
では次に、述辞部の比喩を、高橋たか子の作品「乗車錯誤㉗」の冒頭二頁から拾って、具体的に考えてみよう。（〜〜は喩えられているモノ・コト。- - - -は喩える部分）
冒頭部は、主人公が同窓会に出席するため家を出て、駅に向かって少し歩いたところの描写である。
①（空が）ひときれの布のように覚束ないものとなり果てていた。
②私は立ち止まって腕時計を見た。時計の文字盤がなにかよそよそしく黙りこんでいるようにみえたので、私はそれを耳に近づけた。
③大きく膨らんだ雲は紫がかった扁平な面積にすぎなくなっていた。
④雲の命がまたたくまに死に絶えたかのような、そんな変化に呼応するように、冷たい強い風が吹

き出した。

これらの比喩は基本に沿った比喩である。つまり「注目した外部のコト・モノ↓強い印象を受ける↓それを表すため、現実に見た外部のモノ・コトより、より強い、より新しいモノ・コトを比喩として見立てる↓新しい表現となる」（これが喩えられる事物の新しい見え方の発見、および、発話者の心の提示となる）。

ただ、ここで、小説の比喩として特に重視すべきは、比喩を述べる人物の、そのときの内的状態が比喩と強く結びついているということである。つまり事物から受けとる印象もそのときの心情と強く結びついているのだ。主人公が何か不安で動揺していたとすると、見られる事物がそれを反映し、さらにそれから受ける印象もそのようになり、したがって、比喩も、暗いもの、動揺しているものとなる。しかも、内的状態は持続するのだから、表現される比喩群は、同じ傾向のものとなる。前掲の例を見てみると、
①ひときれの布のように覚束ないもの（動揺、ゆれ）
②なにかよそよそしく黙りこんでいるように（外部と疎遠）
③扁平な面積（外部との疎遠）
④命がまたたくまに死に絶えたかのような（生き生きとしていない、疎遠、暗い）
というふうに同一傾向のものとなる。

小説において比喩を使う場合、単に事物を鮮明に描くことに集中するのではなく、そのときの発話者の心情が示されるように描くことである。また、単一の比喩として描くのではなく、比喩群として描く

ようにすべきである。

次に、すこし風変わりな比喩を紹介してみよう。
⑤雲はまるで中に光源をもつように、水蒸気の粒子の一つ一つがまばゆく発光していた。
⑥(雲は)ただ数限りない光の粒子の塊として中空に浮いているのだ。
これは、家を出た直後で、まだ、同窓会へ行くことについてあまり考えていないところで、心は明るい。その状態で雲を見ての描写である。主人公が、小さいモノまでよく見える眼鏡を使っているように見立てている。

このような比喩を私は「顕微鏡的見立て」と呼んでいる。

私が作った比喩を一つ紹介すると
葉の細胞の一つ一つがやわらかで透きとおった緑色の光を出していた。

皆さんも、見えないもの、特に印象や感情や感覚など内部の様子を注視し、内部に影響を及ぼしたであろう外部の様子を比喩によって表現してみてはどうだろうか。それがよく言われる「寄物陳思《きぶっちんし》」ではなかろうか。

9　書き出しの描き方とは？　言語理解とコンテクスト
――冒頭部や章の書き出しのミスが小説に致命傷を与える

書き出しをどう描けばいいのかを考えるために、まず、次の文章を読んでもらいたい。

事例①

　その手続きはまったく簡単です。まずものをいくつかの山に分けます。もちろん、全体の量によっては、一山で十分でしょう。一度にたくさんやりすぎないことが大切です。たくさんやりすぎるより、少なすぎる方がましです。すぐにはこの重要さがわからないかもしれませんが、めんどうなことになりやすいのです。そうしないと高くつくことにもなります。最初はこうした手続きは複雑に思えるでしょう。でも近い将来に、この作業が必要でなくなると予想することは困難です。いえ、なくなると言える人はいないでしょう。

（鹿内信善『「創造的読み」への手引』ⓘ）

おそらく、何が書かれているのかさっぱりわからないだろう。例えば「ものをいくつかの山に分けます」と書かれているが、どういうものを分けるのかイメージできない。

実は、この文章は題名が伏せられている。題名を入れてもう一度読んでもらうと話はまったく違ってくる。題名は「衣料の洗濯」である。（必ず、再度、読んで欲しい）

どうだろう。書かれていることが嘘みたいによくわかるはずである。前述の「ものをいくつかの山に分けます」も衣料の山としてイメージできる。

このように文というものは、それ自身では意味がとらえられず、前の文などに基づいて、読者が知識を導入し、そのことで意味が成立し、イメージが生じるのである。

この「衣料の洗濯」のように、文を理解するための背景のようなものを言語学ではコンテクストと呼んでいる。コンはともにあるという意味で、書かれている表現（テクスト）とともにあるという意味である。

コンテクストが不明の場合、多くの文章は意味がとらえられなくなる。コンテクストがあって、初めて意味がとらえられる。

もう一つ例を挙げてみよう。

事例②

（　　　　）

まど・みちお

うねり　くねり
であい　もぐり
あわて　まどい
うかび　すべり
いさみ　はやり
つたい　のぼり
おちて　すくみ
ふるえ　はじき
よじれ　ねじれ
もつれ　はしり

（『まどみちお全詩集[29]』）

これは、まどみちおの詩の一部である。これも題名が隠されている。題名のところに、この詩は何を描いているのかが書かれている。いったい何を描いているのだろうか？

川の流れについて書かれていると考えてみよう。すると、「うねり　くねり　であい　もぐり」から谷川の流れがイメージできる。また、これは人生の有様を描いていると考えると、「うねり　くねり　であい　もぐり」から、人々とのいろいろな出来事や関係が思い浮かべられる。では、本当は何を描こうとしたのだろうか？　題名は「ウジ」である。ウジの様子を描こうとしたのである。

このように、コンテクストが何なのかによって、文や語の意味が変わってくる。つまり文章の部分部分の意味は、以前に書かれたことや、その他のいろんなことによって明確になるのだ。文はそれ自身では自立していない。

このように、コンテクストは、読者が書かれている言葉にどのような知識やイメージを付与すべきかを指示する。そして、このコンテクストをつくるのに、書き出しはきわめて重要な役目を果たす。

書き出しによって、発話者のことや視点の位置がわかったり、主人公のいる時代や場所や状況がわかったり、主人公の性別、年齢、職業、容貌がわかったりする。また、登場する他者のことや主人公と彼らとの関係がわかる。

では、書き出しにはコンテクストがないのにどうして意味がわかるのか、といった疑問が湧きそうだ。確かに、書き出しはコンテクストが弱いので、読者にはわかりにくい。だから、作者は特に注意を払わなければならないのだ。だが、まったくコンテクストがないかというとそうでもない。読む前に、その作品について何らかの情報を得ている場合が多い。例えば、その作品の書評や解説などを読んでいたり、帯の文章を読んでいたりする。それに、文にはコンテクストが大いに必要な文もあれば、それほどでもない文もある。一般によく知られていることを書いた文にはあまりコンテクストはいらない。例えば、題名の「衣料の洗濯」の意味は、コンテクストがなくてもある程度理解できる（しかし、洗濯と言っても、千差万別なので、どのような洗濯なのかは、後の文章を読まないとわからない）。それで書き出しは極力、コンテクストなしでもわかるような平易なことを平易な言葉で書くべきである。

さらに、書き出しにはもう一つ重要な役割がある。それは、読者にその後、どのようなことが書かれていくのかを予測させることである。前述の「衣料の洗濯」においては、次に書かれることは衣料の洗濯に関わることが書かれるのだろうと予測させる。この予測に基づいて次の文を読み、予測に見合うことが書かれていれば、前の文との統合がなされ、文章の意味が理解されていく。もし、予測とは違ったことが書かれていると、読者は戸惑い、それはどういうことなのかと考え込む。納得できる新しい予測が見つかれば、それに従い、再び先へ読み進められる。それができなければ、理解は不可能となり、時にはそこで読むことを断念する。

例えば、次のような三好達治の詩がある。

雪[30]

太郎を眠らせ、太郎の屋根に雪ふりつむ。
次郎を眠らせ、次郎の屋根に雪ふりつむ。

題名を読んだとき、読者は、この詩は雪のことを書こうとしているのだな、と予測する。次の本文

「太郎を眠らせ」を読むと、雪が太郎という子供を眠らせたのだな、と読む。なぜなら、すでに雪のことが書かれていると予測しているからである。このように、文が示す出来事は予測によって前の意味と合体し、統一された形で意味を膨らませていく。ただ、その場合、雪が太郎を眠らせるなどということは実際にはない。そこで、これは擬人的に、また、比喩として書かれているのだ、と考える。つまり雪が太郎という子供の周りにしんしんと降り積もり、それがあたかも彼を包み込んで寝かしつけているかのような状況にあるのだなと解釈する。

そう考えると前の文と後の文とが合体し、一群の文章として理解できる。さらに、この意味が次の予測を生む。次も、雪のことが書かれているのだろう、しかも、太郎という子供と関係することだ、と予測する。この予測に基づいて次の語句「太郎の屋根に雪ふりつむ」を読む。ああ、やっぱりと思い、意味が明確になり、しんしんと屋根に雪が積もっていく様子とその中で眠っている一人の子供のイメージが湧き上がってくる。

さらに、次の「次郎を眠らせ、次郎の屋根に雪ふりつむ」を読むと、次郎にも太郎と同じことを読み取ると同時に、雪に覆われた静かな村全体のイメージが思い浮かぶのである。

このように、書き出しは（題名をも含めて）コンテクストをつくり、次に書かれていくことを漠然とではあるが予測させる。また、この予測こそ前後の文を関係づけて統合するものである。

このように書き出しによって、これから読む文章の基本的なコンテクストがつくられ、根本的な予感、予測を生む。ここを書き間違ったり、曖昧であったりすると、以後の文章のすべてが悪影響を受け、誤った形で読まれたり、読みにくくなったりする。

よく書き出しが大切だと言われるが、その理由が、ここにある（予測もコンテクストの一つと考えれば、状況的なコンテクストと、今後生じるであろうことの予感や予測の未来的なコンテクストとがある）。

ただ、小説のコンテクストは先程述べた例文のような簡単なものばかりではなく、普通、もっと複雑である。さまざまなコンテクストが幾重にも重なり合う場合が多い。故に、読む方もそれらを的確に読みとらねばならないし、作者もそれらを的確に示さなければならない（読者側から言えば予測だが、内容側から言えば内容の流れを生じさせるところであり、作者側から言えば、何を書くつもりなのかを決めるところである）。

では実際の小説においてコンテクストや予測がどのようにつくられるのか、また、書く場合、どのようなことを書いておくことが必要なのかを、例文でもって考えてみよう。

例文としては、まず、事件の展開を中心とした典型的な作品「ドナー」仙川環(31)を採りあげる。作品の冒頭は次のような形で始まる。

海老《えび》、かんぴょう、人参《にんじん》といった具材をレシピ通りに下ごしらえする根気があれば、ちらし寿司なんて誰が作ってもそれなりの味に仕上がるものだ。

庭に面したガラス戸を開け放ったダイニングルームで、父と郷田哲《ごうだ さとし》に向かって私は力説していた。

「いやいや。誰に習ったわけではないのにここまでできるとは、栞《しおり》もたいしたものだよ」

父が言い、哲がうなずいた。私は苦笑いを浮かべながらうつむく。

「書き出し」で、できるだけ早く読者にわからせておく必要があるのに、多くの書き手がそのことに気づいていない。それは、これからの発話は「誰が」「いつのことを」「どこから」するのかという視点のことである。この作品では「父と郷田哲に向かって私は力説していた」のところから発話者は「私」であり、一人称小説であることがわかる。しかし、「〜していた」は、「私」がどこにいるのか確定できない文末である。「〜ていた」は発話者が対象から離れて対象を見つめていることを示す。ただ、どの程度離れているかは不確定である。故に、これは過去を思い出し、過去の自分を見つめて描いているとも受け取れる。ところが次に描かれている「私は苦笑いを浮かべながらうつむく」の「うつむく」は現在形なので、おや、今のことを述べているのかと思う。つまり私を「見る私」と、「見られる私」とに分裂させ、「見る私」が「見られる私」の様子を描写しているのかと考える。

　しかし、もう一つの考え方も可能である。それは、前述したように、過去のことであっても、現在形で示せる。つまりこれは、「描写的現在」ではなかろうかとも考えられる。「父が言い、哲がうなずいた。私は苦笑いを浮かべながらうつむく」は発話者（視点）の「私」が現場にいて「今」生じたことを即座に述べているのか、それともこれはすでに過去のことで、発話者（視点）が叙述場所にいて、意識（視点）が「過去の今」へタイムスリップして「描写的現在」として描いているのか、どちらともとれるのである。ここではまだ「いつのことをどこから」が確定できない。

　そこでここは次のように書き始めて欲しかった。「私は、庭に面したガラス戸を開け放ったダイニングルームで、「海老、かんぴょう、―中略―それなりの味にしあがるものよ」と父と郷田哲に向かって力説した」または「私は、庭に面したガラス戸を開け放ったダイニングルームで、『海老、かんぴょう、

―中略―それなりの味にしあがるものよ』と父と郷田哲に力説しつづけた」と。この作品は全編「描写型」なので、解説的説明から入るべきではない。

さらに「書き出し」では、これからの土台となる場所や状況や主人公の性格などを示すことが大切である。この作品ではそれは、主人公の私（栞）が自分の手料理について感想を述べるという形でなんとなく示される。

場所は私の実家であり、私の作った手料理を、私を含めて、父と郷田哲とで会食しようとしている。私は自分の手料理の感想を述べるのだが、自慢することなく謙虚であり、また、哲にはおいしいものを食べさせてやりたいというやさしさが滲み出ている。父も紹介されているが、父も栞の料理を褒め、栞を励ましている。私も父も優しい人柄が見て取れる。これが後の展開に重要な役割を果たす。

私と郷田哲との関係はまだここではよくわからない。読者は、彼らはどういう関係で、哲は何のためにここに来ているのか知りたいところである。それに答えるかのように次の文章が続く。

ちらし寿司はよくできていると自分でも思うけれど、十月の三連休の中日《なかび》の昼下がりに、婚約者を初めて自宅に招いて手料理を振舞うというシチュエーションで、ちらし寿司、浅蜊《あさり》の味噌汁に春菊の胡麻《ごま》和《あ》えの三品だけでは、いかにも食卓が寂しすぎた。

料理があらかた無くなったところを見計らい、私は温かいほうじ茶を淹《い》れるために、キッチンへと立った。―中略―

先月末に勤めていた電気メーカーを退社した。同僚だった哲と結婚式を挙げる来年三月まで、こんなふうに穏やかな日々が続くだろう。その後も穏やかに暮らすのが私の願いだ。

冒頭の表現で読者が抱いた疑問にすぐに答えながら、私と哲の関係が示される。どうも社内恋愛で結ばれたようである。この関係が今後のあらゆる出来事を受けとめる土台となる。さらに加えて、私の将来への願いが書かれている。それは「穏やかな日々が続くこと」である。しかし、そうはならない。それが早速裏切られ、この作品の中心となる事件が発生するのである。

そのとき、玄関のチャイムが鳴った。ガスを止めるとタオルで手を拭き、廊下に出てカメラ付きのインターフォンのボタンを押した。見知らぬ男の顔が画面に現れた。

「突然、申し訳ありません。私、絣《かすり》の連れ合いで青山と申します。釧路から出てきました」

もう何年も耳にしたことも口にしたこともない絣という名前が、男の口から突然出てきたことに困惑を隠せない私をよそに、男は親しげな口調で続けた。

「笠原栞さんですね。絣から聞いています」

突然、招かれざる客が登場する。私の姉である絣の夫と称する男が遠い釧路から訪ねて来たのである。ここで、私には姉がいたことが明かされ、しかもその姉とは何らかの事情で現在は付き合っていないことが知らされる。しかも、その夫が遠いところから何かの事情で訪れてきた。これは私にとっても、父にとっても、あるいはすでに婚約済みの哲にとってもおおごとである。さしあたってどう対処すべきなのか、もちろん読者にとっても興味が湧くところであり、読みの方向性が明確になったところでもある。

私はこの突然の事態に次のように対処する。


私はちょっと待ってほしいと言うと、ダイニングルームの父を呼びに行った。

「お客さんか？」

「お姉ちゃんのご主人みたい。釧路から来たんですって」

父は、ぎょっとしたように頬を歪めたが、すぐに思案顔になった。

「どういうことだろう。いや、そもそも絣はいつ結婚したんだ？　栞も、何も聞いてないよな」

「ええ」

「とにかく、追い返すわけにもいかないな。釧路からわざわざ訪ねてきたということは込み入った話があるんだろう。悪いが、哲さんには帰ってもらうことにしよう」

私はうなずき、哲と話すためにダイニングルームへ向かった。インターフォン越しに青山と話す父の声を聞いていると、不安がこみ上げてきた。


私も父も動揺している。いったい何が生じ、何のために遠い釧路からわざわざ家にまで訪ねてきたのか、私も父も不安でいっぱいである。とりあえず、まず、彼からそれを聞き出そうとする。

以上のところでこの作品の書き出しは終わる。この後は「それからちょうど十分後、私たち父娘はテーブルを挟んで青山雄司と向き合っていた」とあり、別場面へと移る（ここで、男が訪ねてきた理由を明かす）。

書き出しの役割は、前述したように、読者側から言えば、基本的なコンテクストをつくるところであり、作者側から言えば、場面設定、状況設定をするところであり、展開の中心となる事件の発端を示すところでもある。読者にとってはこれから何が書かれようとしているのか、読みの方向性が決まるところであり、作者にとっては、何を描こうとするのか、描く方向性が決まるところである。

この作品ではそれが、私が父のいる家へ婚約者の哲を昼食に招き、自分の手料理のちらし寿司を振舞う様子を書くことでそれらがなされる。つまり私の振る舞いを通して、私のおかれている状況、重要人物である哲と私との関係、父や私の人物像などが明かされ、作品の土台がつくられる。

さらに、そのような状況の中に、招かれざる客として、絣の連れ合いと称する男が登場する。これは日頃起こらないことなので事件であり、ここから問題が発生する。これがこれから物語の中心となることが予想される。

事件を中心とする作品の場合、この事件の発端が非常に重要である。作者のこれから描こうとする方向性が決まると同時に、読者も読む方向性が決まるからである。

以上は、事件を中心にした作品の書き出しについて述べたのであるが、それとは逆の内部中心の作品ではどうか。事件中心のものとはかなり違うはずである。それらを明らかにするため、例文として「増田みず子「煙」[32]を採りあげ、検討してみる。それは次のような書き出しで始まる。

煙（題名）

いつもより少し早く役所を出た銀子は、駅を降りると遠回りして薬局に寄り、ゴミ袋と入浴剤を買った。レジにいた顔見知りの店員が、品物の入ったレジ袋と釣銭を銀子に渡しながら、明るい声で「お大事に」といった。彼は薬剤師で、いつも白衣を着ており、薬について相談する客にはとても親切に教えるので、相談ごとのある客がいると、レジに長い行列ができてしまう。そして彼は、客が何を買っても、必ずにっこりして最後に「お大事に」と声をかけ、店を出ていく客の背中に「またどうぞ」といって送り出す。その二つの言葉の間隔があいているところがいい。

内部中心の作品といっても、書き出しの基礎的なところは事象中心の作品と同じである。まず、視点や場の様子や主人公の外的内的様子やおかれている状況、他者との関係などが描かれる。この引用部分でもそれらがある程度描かれている。

視点は一人称的三人称で、銀子の視点から描かれている。場面や状況では、主人公は、今、役所からの帰宅途中で、ものを買うために薬局に立ち寄ったところである。その後は、まっすぐ家に帰りそうである。主人公の状態では、主人公は女性であり、それほど若くはない。若さを感じさせるものが何一つ書かれていないことや、家事に関わるものを買おうとしていることなどからそう思わせる。

次に、内部中心の場合、特に重要なのは、まだ出来事が何も起こっていないときでの主人公の内的様子である。これが以後のさまざまな外部事象を受け入れ、中心的内部（中心的感情）となって内部が発展していく。ただ、引用部分ではそのことはまだほとんど示されていない。唯一、薬剤師の様子とそれへの感慨が次のように書かれているだけである。「薬について相談する客にはとても親切に教える」「彼は、客が何を買っても、必ずにっこりして最後に『お大事に』と声をかけ、店を出ていく客の背中に『またどうぞ』といって送り出す。この二つの言葉の間隔があいているところがいい」。ここで示されているのは、主人公は親切にされること、丁寧に扱われることを望み、それに対し感受性がかなり敏感であるということである。だが、これだけでは不十分である。さらなる情報を得たいところである。それが次に明かされる。

その日、役所で面白くないことがあってあまり気分がすぐれなかった銀子は、彼に「お大事に」といわれたとき、頭痛薬を買い足したくなったが、振り返った拍子に「またどうぞ」といわれ、レジに列ができているのを見て、その気をなくした。そのまま店を出て、表通りをまっすぐ歩いていき、マルエツというスーパーマーケットに入り、最初の予定通りに二階にある薬品部で頭痛剤を買った。そこの薬剤師は年取ったの女性だが無口でよけいな口はきかない。彼女はていねいに頭を下げ、どうもありがとうございますという。それだけだ。お大事に、ともいわない。

ここで重要なのは、「その日、役所で面白くないことがあってあまり気分がすぐれなかった」ことである。主人公の内的な様相は「気分がすぐれない」状態である。さらに、そういう内部に対応する外部の出来事が初めて出てくる。それは「振り返った拍子に『またどうぞ』といわれ」とあるように丁寧な応対ではなく、おざなりの事務的な対応である。主人公はがっかりする。ここもまた内部中心の書き出しでは重要なところである。これから出てくる外部の特質の一端が示されているからである。内部中心の作品において重要なことは外部からの自分への働きかけである。ここで言えば、主人公の期待に反するマイナス的な働きかけをする出来事ということである。

さらに次のようにつづく。

どちらの応対がいいというわけでもないが、銀子は日常雑貨品やダイエット用の人工甘味料は、薬局で、薬はスーパー二階の薬品部で、というふうに買い分けている。それぞれその方が安いのである。しかしその日銀子は年取った女の薬剤師にも「お大事に」といってほしいような気がして、品物を受け取るとき、「頭痛が直らなくって」といってみた。彼女は、気の毒そうに銀子を見たが、一呼吸置いて、どうもありがとうございますといっただけだった。銀子は何となくがっかりし、話しかけて損をしたような気分になった。いこうとしたときもう一度彼女がありがとうございました、と小さな声でいった。一階の端にゴミ袋の棚があったので、そこに寄って値段を見た。やはり薬局で買った方がよほど安かった。銀子はいくらか晴々とした気分になり、今度薬局へいったら頭痛薬の値段をたずねてみようと思った。

ここでも外部は期待したようにはならない。だから「何となくがっかりし、話しかけて損をしたような気分」になる。ただ、年配の女性の薬剤師は二度「ありがとうございました」と言い、また、一階では先程買ったゴミ袋が売られていたのだが、値段は先程のところより高い。それで、自分の判断に間違いがなかったことがわかり、気分が少しよくなる。ではいったい、この主人公にはその後、どのようなことが生じるのか、主人公の内部はどう進展していくのか、そのようなことに興味が湧いてくる。

ここまでが作品「煙」の書き出しを主に読者側からとらえたものである。これを作者側からとらえれば次のようになる。

内部中心の作品においても、書き出しでは、まず、視点のことや場面の様子、主人公をめぐる外的状況や主人公の年齢、性別、職業、他者との関係、主人公のこれから行なおうとしている行動目的などを明らかにすることである。その上で、内部中心の場合、次の二点がぜひ必要である。まず、今後の外部の受け皿となる主人公の内部の様相を示すことである。もし、これに特記することがなければごく普通の気分であるということになる。次に主人公に働きかけてくる外部の出来事の様子である。これは、今後、生じるであろう外部の特性を最初に示すものでなければならない。事例では、予想に反して主人公にマイナスの働きかけをするもの、気分を落ち込ませるものということになっている。

このようなことを、日常的な出来事を描きながら、それとなく示していくのが内部中心の書き出しである。

話が変わるが、最後にもう一つ、初心者がよく陥る「書き出し」についての誤解を指摘しておきたい。書き出しで読者の興味をひかなくてはならないと考え、事象の倒置を行い、激しい場面から書き出す人がいる。つまり「つかみ」をうまくやろうと考え、興味をひきそうな出来事から書き始めるのである。ところが先程述べたように、文章の理解にはコンテクストが必要である。最初から激しい場面が書かれると、そのコンテクストができていないまま、その場面や出来事を想像しなければならず、読者に多くの負担と混乱を与えてしまう。これは、おそらく映像表現の影響を受けてのことだろうが、映像の場合、訳がわからなくても映像だけはなんなく受像できる。その結果、衝撃性だけは伝わる。以後への興味が湧く。しかし、言語の場合はそうはいかない。読者が映像をつくらなければならないからだ。それにはコンテクストが必要で、それがないうちに複雑なイメージが提示されると、読者は興味を覚えるどころか、かえって混乱するだけである。また、「描写」中心の小説では、前述したように倒置法は絶対使ってはならない方法である。

書き出しは書かれようとする世界へ読者をスムーズに誘《いざな》うことが重要である。そのためには、コンテクストがなくても、主人公を中心にした状況やこれから展開するであろう予感、予測をある程度させられるやさしい言葉を使用することである。興味は正当な書き出しによって読者に起こさせるべきものである。

第四章　筋・プロットについて

1　筋《プロット》を考える基礎としてぜひ知っておいて欲しいこと
――「動き・運動」「出来事」のそれぞれの特徴

我々の世界は時間的世界であり、様々な動きや運動で満ちている。その世界を反映する（模倣する《ミメーシス》）小説内世界は、当然、登場人物たちの動きやそれに関わるさまざまな人・もの・ことの動きで満ちている。しかも小説内世界には小説内世界独特の動きもある。それは、小説内世界を一つの統一ある世界にする動きである。その軌跡が筋と呼ばれるものである。筋は動きそのものであり、その軌跡を作品内に残している。このように、小説内世界は「動」の世界である。しかも読者はその「動」に沿って読む。読む行為もまた「動」である。さらに、小説を書く作者の「動」もある。小説は「動」によって「動」を生み出し、その「動」を「動」によって感じ理解し味わうのである。

したがって、まず、「動」である「動き」「運動」の特色を明らかにしておきたい。

「動き」「運動」はほぼ同じ意味であるが、この文章では運動は存在しているものの位置、形状、心情、思いなどが変化すること、および、身体が活動することを指し、さらにその「動き」が「長く持続」することを意味する。また、「動き」「運動」をひっくるめた意味として「動」を使う。

そう考えれば筋とは、ある「運動」そのもの、および、「運動」の軌跡を意味することになる。そこで、「運動」の基本的特徴を明らかにしておこう。

「運動」を考える場合、まず、イメージするのは「位置の変化」である。位置の変化は「運動」の典型である。それで、「サッカーの試合」における「ボール」の「運動」を例として、「運動」の基本的特徴を探ることにする。

サッカーの試合でのボールは、あるチームの一人の人物によって蹴られ、ボールが運動し始め、位置が刻々と変化する。「運動」には動きを生じさせるエネルギーが与えられる必要がある。サッカーボールの場合、蹴る人がそれである。したがって、受動的であるが、自らの力で運動し始めるものもある。そういう場合は能動的運動である。さらに、ボールは実体として存在し、転がるという性質を持っている。しかも位置を変えても、ボールそれ自体は変化しない。変化するのはボールの位置である。このように「運動」には、変化しないものと変化するものとが共在している。「運動」は「変化、非変化」の二義性を持つ。さらにボールの変化はでたらめに動いているわけではない。それはどちらかのゴールを目指して蹴られるのである。サッカーのボールは方向性を持つ。さらにボールを蹴る人物はボールがゴールに向かうのに都合がいい場所をめがけて蹴る。つまりボールを蹴る人物とボールの動きとは因果関係にある。そのことによってボールがあるところに動くのだが、そのボールをまたある人物が蹴る。ただし、ボールがそこへ来たからこそ、そこから蹴ることができたので、ボールの動きと蹴ることとは因果関係があると同時に、そこへ蹴った人物の行為とも因果関係がある（この因果関係は科学的因果関係ではなく、開かれた因果関係、自由な因果関係、生活的因果関係である。因果関係については後ほど詳しく説明する）。このような形でボールがどちらかのゴールに入るまでつづけられ、それが反復される。

以上が「運動」の基本的特徴だが、ここで示した「運動」は「自然の運動」ではなく、サッカーの試合という「社会的」な運動である。筋の中心となる運動は、全て社会的な運動である。ただし、中心に関わる運動には自然の運動と社会的運動と両方ある。これらをまとめると、①運動には変化するものと変化しないもの（基体）とが共在している。②基体は運動を可能にする性質を有する。③基体（変化しないもの）の様態（位置、状態、性質、形態、内的な状態など）がある方向に向かって変化する。つまり運動には一定の方向性がある。④運動は最初と最後では原則、必ず変化している。⑤変化しつつ元に戻る特殊な運動もある。⑥自然的運動と社会的、人間的運動がある。以上が「運動」の基本的特徴である。

ここで、運動のことはひとまずおいて、小説の主たる内容である「出来事」について考えてみよう。まず、出来事を描いている小説の一節を挙げてみる。

引用する箇所の直前には、大雨で筑後川が氾濫し、刑務所の二階まで水が上がってきて、受刑者たちまで危なくなり、彼らが騒ぎ出すところまで描かれている。次は二章の冒頭からの引用である。

尾村凌太は、夢中で泥流《でいりゅう》の中にとびこんだ。彼は漁師の倅《せがれ》だ。泳ぎには自信がある。逃げるつもりはなかったが、他の受刑者がわれもわれもと、とびこむのを見て、思わず窓に足をかけて身を躍らせたのだ。——中略——

しだいに凌太は疲れてきた。気負っていた彼もこの奔流をのりきることができないと悟った。すでに泳いでいることが危険になった。

もう、どうにでもなれと、と思った。

眼についた一軒の家に泳ぎついた。階下は沈み、二階だけが水の上に出ている家である。凌太は柱につかまり、下の屋根に上った。水面すれすれである。頭の出た庭木が水草のように揺れそよいでいる。
彼は二階のてすりをまたいで座敷にはいった。

（松本清張「恐喝者」[3]）

ここまでで一つの「小出来事」としてとらえることができる。これだけの箇所からでも「出来事」の特徴がはっきりと出ている。まず、これを「出来事」としてとらえることができるのは、読み手である私たちか、この出来事を語っている発話者か、さらには作者かである。泳いでいる凌太は泳ぐという行為をしているので、出来事とはとらえられない。ただ、その後、自分の過去を振り返って思い出したときには自分の行為を「出来事」としてとらえることができる。「出来事」としてとらえられるのは、出来事に巻き込まれている人や行為中の当事者ではなく、それを観察している人か、過去の「行為、被行為、被作用」を反省している人だけであり、さらに、観察している人にとっても、一応、運動に区切りがついた時点でしか「出来事」としてはとらえられない。引用された部分は作品の一部であって、これから、いろいろな出来事が生じるわけで、それらが終わった時点でしか、作品全体の「出来事」はとらえられない。このように、作品全体の出来事は、多くの部分的な小出来事の統一体として生じる。さらに、この「小出来事」を「凌太が洪水の中を泳いだ小出来事」ととらえることもできるし「凌太が我が身を救った小出来事」ともとらえられし、「洪水を利用してて刑務所から脱走した小出来事」ともとらえられる。どうとらえるかは認識の仕方によることになる。さらに、この出来事は、泳ぎの持続行為であり、泳ぐという運動としてもとらえられる。出来事は運動を内包している。つまり発話者の興味を抱いた運動について、その「始まり」から「過程」を経て「変化の結果」を残し「終わる」までを認識し、それをある「一つの出来事」として言語化したものである。しかし、小説の場合、何々の出来事が生じた、などという表現はしないで、その事象を具体的に述べたり、要約的に述べたりして示すので「出来事」としてとらえるのは作者、読者、観察者である。特にそうとらえる必要性があるのは作者である。作者がどういう「一つの出来事」を描こうかと考えるときに「一つの出来事」という形で問題として上がってくる。

小説を書き始めの人の陥る欠点は、「一つの出来事」を描かずに、時間順に起こった多くの出来事を羅列的に描くことである。つまり作品世界が統一されていないということである。

「一つの出来事」を描くとは、言葉を換えれば、一つの運動を描くことであり、一つの運動とは、ある運動体（基体）が運動を始め、周囲に何らかの影響を与え、周囲から何らかの働きかけを受け、ある方向に向かって運動を持続させ、以前とは変化したある結果を残して運動が終わることである。「一つの出来事」を描くということは、こういう運動の過程を描くことであり、作者は、どういう一つの出来事、どういう一つの運動、何のどういう様態からどういう様態に変化したことを描こうかと、前もって決めて書き始めるのである。

2　これだけを考えて小説内世界を描けば、自ずと筋《プロット》は生まれてくる
——小説の筋を「ストーリー」などと考えてはいけない

小説で描かれる世界は静的世界ではなく、時間に応じて変化する動的世界である。しかも、小説内世界は統一あるものでなければならない。「物語とは—中略—一連の関連した経験を一つの完全な全体へとまとめあげたもの、と言うことができるかもしれない」と『小説の技法ⓔ』の中でレオン・サーメリアンが言っているが、この描かれる動的な様々なことを統一していくのが筋である。つまりは一つの運動、一つの出来事にしていくのが筋である。

では、筋をどのように考えれば作品世界を統一したものにする筋になるのだろうか。それを二つの観点から考えてみよう。一つは「プロット的筋」という観点であり、もう一つは運動の観点である。

「プロット」はよく使われる言葉である。しかし、その使われ方はまちまちで、前述したレオン・サーメリアンも「創作理論では未だに正確な専門用語は定まっておらず、『プロット』のようなキーワードでもその意味するところは、日常会話だけではなく文芸批評においても、人によってまちまちである」と言っているように、人によって違うのである。サーメリアンは自己のプロット論を展開しているが、筆者の考えとはまったく違うのである。筆者のプロットの考えは、二〇世紀初頭に作家として活躍した

E・M・フォースターのプロット論を発展させたものである。

　フォースターは『小説の諸相』（日本語訳では『新訳小説とは何か』[j]）において「プロットを定義しましょう。われわれはストーリーを時間的に配列された諸事件の叙述であると定義してきました。プロットもまた諸事件の叙述でありますが、重点は因果関係におかれます。「王が亡くなられ、それから王妃が亡くなられた」といえばストーリーです。「王が亡くなられた、それから王妃が悲しみのあまり亡くなられた」といえばプロットです。時間的順序は保持されていますが、因果の感じがそれに影を投げかけています」と定義しています。また、それに遡ること何百年も前に、すでにアリストテレスが「詩学」[a]で「これこれの出来事がこれこれの出来事ゆえに起こるというのと、（これこれのことが）これこれの出来事のあとに起こるのとでは、たいへんな違いがある」と述べているが、前者は「プロット」のことを言い、後者は「ストーリー」のことを言っているのである。ただ、二人とも因果関係を「前者によって後者が必然的に生じる」と考えているところに問題がある。フォースターは「因果の感じが影を投げかけています」というような曖昧な表現をし、因果関係によって生じたとはっきり言っていない。また、アリストテレスも、「そのことが起こるのは先立つ出来事からの必然不可避の帰結であるか、もっともだと納得できる結果でなければならない」と言っている。アリストテレスも因果関係を科学的因果関係に近いものとしてとらえているし、フォースターも科学的因果関係のみが因果関係だと考えているからこそ「因果の感じが影を投げかけています」などと曖昧な表現をしているのである。ただ「プロット的筋」を考える場合、因果関係をもっと柔軟に考えておく必要がある。科学的因果関係の場合は「Aが起これば、条件さえ同じにすれば、必ずBが起こる」というような関係のことを言っている。いわゆる決定論的因果関係である。しかし、生活世界においてはこのような因果関係はほとんどない。まず、条件を同じにするなどということが不可能である。出来事は一回性のものであり、人間が関わる場合は、出来事を同一にするなどということも不可能である。さらに、生活世界での因果関係を「Aが起こらなければ決してBが起こらなかったが、また、Aが起これば必ず何かが起こるが、しかしBとは限らず、運動の同じ方向性を目指すCであったかもしれないし、Dであったかもしれない。それは不確定である」というような関係をいうと考える。つまり前のことが、後のことが起こる必要条件であり、前のことが起これば、必ず前と関連のある後のことが起こるがそれは一定ではない。これをも因果関係ととらえる。この因果関係は、決定論的因果関係ではなく、それよりもゆるい因果関係である。小説の出来事、および、行為はこのような形で繋がり、持続していく。そうしてこのような形で繋がっていく筋のことを「プロット的筋」と呼ぶのである。さらに、この因果関係は「開かれた因果関係」「自由な因果関係」「生活世界での因果関係」と名付けられている。なお、この繋がりは「サッカーボール」の繋がりのところで以前述べた「運動」の特性でもある。また、小さな運動が因果関係で繋がり、さらに大きな運動となっていくのである。

「プロット的筋」もまた小さな出来事が繋がり大きな出来事となり、それが小説の根幹をつくるのである。この運動自身とその軌跡を「プロット的筋」と名付けるのである。

「プロット的筋」と「運動」とは同一のことである。だが、これは当然である。なぜなら、冒頭で述べたように小説内世界は「運動」の世界であり、その根底をなす筋もまた「運動」である。したがって「プロット的筋」は因果関係を基本とした関係であるが、ただそれだけではない。「運動」の持つ他の特徴をも持っているのである。

「運動」の特徴の一つは「何かが何かに変わっていく」「何かが何かになっていく」というものである。「プロット的筋」にもこの特徴がある。筋とは「何かが何かに変わっていく軌跡」と考えてもいい。

小説で何を書こうかと考える場合、まず、どういうことがどう変わっていくことを書こうかと考える。さらには、こういうものがどう変化していくか書いてみようと、最初の状態だけを思い浮かべて書いて行く場合だってある。アリストテレスは前述の「詩学」[a]の中で、悲劇は幸福が不幸に変わっていくことを描くものだと、述べている。ギリシア悲劇の代表作「オイディプス王」を頭においての発言かもしれない。

ところで「運動」にはまた「必ず変わらないものがある」という。「サッカーの試合」でのボールのようなものである。

ボールは我々が手で触れることのできる実体である。しかし、実体だけではなく、性質や感情や悩みなども変わらないものとなりうる。さらには、内面の意識が関わる問題、欲望、欲求、思想、関係なども動き、運動をすると考える。

ところで、このボールにあたる「運動を支える変化しないもの」つまり「動きながら動かないもの」を運動における「基体」と名付けている。したがって、「プロット的筋」にも基体がなければならない。筋を考える場合、この基体を考えておく必要がある。

前述のアリストテレスの「幸福から不幸へ」の基体は「個人の生活状態」である。

小説で何を書こうかを考える場合、「何が何になっていく過程を書こう」「何を何にする過程を書こう」と、変化を考えれば基体は自ずから生じてくる。ただ、その場合、変化は同一のカテゴリーに属するものでなければならない。「変化と基体」とはペアーである。

その場合の「幸福から不幸へ」や、その基体の「生活様態」などは概念的であって、このような変化、および基体を「理念的変化」「理念的基体」と名付けておく。これがもし「家にあるお金が豊富であった」から「家にあるお金がなくなった」への変化なら、基体は「家のお金」であり、変化や基体は実体的なものである。これを「実体的変化」「実体的基体」と名付ける。サッカーでのボールの変化などは位置の変化であり、基体はボールなので「実体的変化」「実体的基体」である。実体的変化、実体的基体のほうがより現実現象に近く、小説を書くにはこのほうがより書きやすい。

さらにここで強く言いたいことは、小説の書き始めに、何のどういう変化を描こうかと考えて書き始めれば自ずと、「プロット的筋」になり、作品は統一されたものになっていくということである。

例えば「幸福から不幸へ」と考えれば、基体は「生活状態」であり、「不快から快へ」と考えれば、基体は「快感」ということになる。しかし、これらはかなり理念的で、抽象的すぎる。もう少し実体的な変化を考える必要がある。その場合、前述したように、変化とは一つの「運動」であり、したがって、一つの出来事である。故に、何を書こうかと考えるときは「一つの持続した出来事」を考えることも一つの方法である。例えば「主人公が父親を殺そうとした出来事」というようにである。この目的に従って描けば、いちいち筋など考えなくてもいい。「一つの出来事」とそれに関わることを持続的に描いていけば必然的に「プロット的筋」になり、統一された小説になる。

小説は「主題」を考えて書くものと考えがちだが、筆者は、このようにまず「変化」や一つの出来事を考えて書くべきだと考えている。もちろんこれらは「主題」に繋がっていくのだが（主題を中心に据えて書くと「プロット的筋」にはなりにくい。主題に関係する出来事の時間順だけの羅列になる怖れがある）。

この、どういう変化や、何を基体にして描こうとしているかは「書き始め近く」を読めば漠然とではあるが予想できる。ということは書き手側からいうと、書き始め近くでなんとなくそれを示す必要がある。

これをよりよく理解するために具体的に考えてみよう。採り上げた作品は小池真理子の「岬へ[33]」である。

冒頭からの数ページには、岬近くのペンションへ向かうタクシー内での出来事が書かれている。最近、隣町に大型リゾート施設やホテルができて、老夫婦が経営するペンションも客足が遠のき、廃業することになり、それでオーナーに挨拶に行くのだといったことなどが運転手との会話によって示される。それから、ペンションに着き、オーナーの老夫婦に手厚く迎えられる様子が描かれている。ここは筋を準備するところである。しかし、準備の段階とはいえ、「このペンションで何が起こるのだろう」という疑問が湧いてきて、「ペンションで起こること」が基体で「ペンションで何も生じない状態から、何かが生じる状態へ」が変化だろうと予想できる。これが最も抽象的、包括的な筋の予想である。しかし、これではあまりにも漠然としすぎるので、中心的筋とは言いがたい。中心の筋はまだ出現していない。それが現れるのは次の箇所からである。主人公のペンション訪問の目的は次のようなことであった。

二十年前、私が二十八歳の時、一つ年上だった達彦は、愛犬と共にここに泊まり、犬をよろしく、という短い書き置きを残して、翌朝早く、S岬の断崖から身を投げた。

達彦は私のよき友人だった。友人……としか言いようがない。達彦は私と恋人同士になりたがっていたが、私が最後までそれを受け入れなかったのだ。——中略——。

「先日、電話でも申し上げましたが」と私は言った。「私のかつての友人である加川達彦さんが亡くなって、今年で丸二十年たちます。今更ではありますけど、彼が最後に宿泊したこのペンションにどうしても来てみたくなりまして、彼が最後の晩、どんな様子だったかということも知りたいし、彼が可愛がっていた犬がどうなったか、ということもお聞きしたいですし……」


ここのところで、初めて彼が最後の晩、どのような思いでいたのか、その思いを知ることが中心的な筋であることがわかる。つまり主人公の知的行為中心の筋である。変化は「彼の思いが不明からわかる」へであろう。基体は「彼の思い」ではなかろうか。

また、もう一つ、二十年もたった今、なぜ、そのような思いになったのか、ということも我々の疑問となる。これが明かされることがもう一つの筋になるかもしれない。その場合は「行為の訳が明かされないから明かされる」へ、というのが変化であろうし、「ペンションへ来た訳」が基体であろう。この筋は中心の筋と関わって生じた副次的な筋として語られるのであろうと推測される。これは筋によって示される行為の「源泉」(二八四頁参照)であろう。

引用文の後《あと》において、主人公が達彦と別れた後の自分の出来事が語られながら、どうしてここを訪れる気になったのかが少し明かされていく。そして、夜に、自分と同じような女と付き合っていたという男がこのペンションに泊まっていて、彼と交流することによって、男の思いが打ち明けられ、そのことを通して、達彦のその夜の気持ちをかなり知ることになる。この男が、達彦の亡霊の役を果たしていく。これが作品の中心的筋である。

なお、何を中心にした筋にするかによって、つまり「基体」によって、小説の形態が大きく変わってしまう。次には詳しく筋の生成の仕方を考えていくことにする。

3　筋《プロット》に直接関わる三つの要素とその関係
――外部の出来事、行為、内部の様態

筋の基になっている基体はそれ自身のみで運動をつづける訳ではない。基体は、様々なものと関係し合いながら、自らの様態を変化させ、運動をつづけるのである。故に、この関係をここでは明らかにしておきたい。その関係が基になって「プロット的筋」が成立していくのである。

小説内世界の基礎単位は一人の登場人物であり、そういう個々の人物たちの動きや彼らに関係する自然や社会が筋を成り立たせる。そこで、単位となる一個人を中心に、動きを、つまり筋を考えていくと、筋に関係する要素は次の三つがあることがわかる。外部事象（出来事）、行為、内部様態（心理）である。これを簡単に「外部」「行為」「内部」と名付けておく。

この三つは、お互いに密接に関係しあっている。例えばコンビニでパンを買うという行為を中心にその関係を考えてみよう。ただし、パンを買う前にパンを買う必要が起こっているのだが、それは省略して考えることにする。まず、①棚からパンをとってレジへ行き、それを渡して金を払う（行為↓外部）。②店員がパンを返し、おつりを出す（外部↓行為・内部）。③考えていた金額より少なかったため、文句を言う（内部↓行為↓外部）。その働きかけを受け、「いいえ間違っておりません。このパンの値段は○

○円ですから」と言い返してくる（外部→行為・内部）。一層腹が立ち、「いや、違う、棚には○○円と書いてあった」と言う（内部→行為→外部）。そう言うことで少し怒りが治まる（行為→内部）。店員は慌ててパン売り場へ行き、帰ってきて「やっぱり○○円と書いてあります」と言う（外部→行為・内部）。彼はさらに腹を立て、店員とともに売り場へ行く（内部→行為→外部）。確かにそれと同種のパンのところには○○円と書いたあった。ところが彼がそのパンをとったのは別の場所からだった。「私はここからこのパンをとった」と言う（行為→外部）と「そこは別のパンがおいてあるところです。売り切れていたので、お客さんがこのパンをそこへ載せたのだと思います」と言って謝らなかった（外部→行為・内部）。いっそう腹が立って、「じゃこのパンを返します」と言って、パンを返した（内部→行為→外部）。

以上のように行為や外部や内部との関係を考えてみると、次のような三角関係が成り立つ。

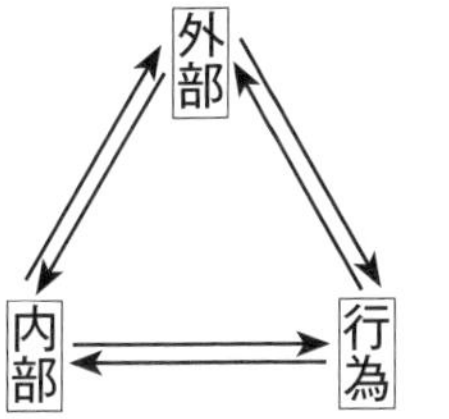

行為によって外部に働きかければ外部はその反応を返してくる。それは行為への反応であると同時に内部にも影響を与える。また、その行為をするのにはそれをしたい、それをしなければならないという内部からの働きかけがあったからである。さらに行為は、そのことによって、内部に満足感を与えたり、行為が失敗しないか、行為はそれでよかったのかといった心配や怖れをも生じさせる。行為による行為者自身の内部への働きかけである。それによりなにがしかの内部の反応が生じ、外部への思いも変化する。またそれが新たな行為を促す。

このように、外部、行為、内部は常に相互に働きあっている。故に、そのどれかを中心にして筋を生成しても他のものをも描かざるをえない。そうでなければ筋が成り立たない。

例えば、三崎亜記の「闇」の中心的筋は、内部中心の筋であり、「闇」に対する「怖れ」が基体である。それが次第に強まっていき、頂点に達するという筋である。しかしそれには、行為や外部が関係している。書き出しの部分でそれを明らかにしてみよう。小説は次のように始まる。


アタッシュケースをベッドの上に放り投げ、ネクタイを緩めながら、狭い室内を見渡す。

「経費削減、か」

今までの出張での定宿より、一ランク下のビジネスホテルだ。もちろん寝るだけだし、ベッドとシャワーがあれば不自由はない。だがやはり、旅先で一晩を過ごす部屋を窮屈に感じると、翌朝の疲労の回復度も違ってくる。

煙草のヤニで汚れた壁紙、隣の部屋のせきばらいが漏れ聞こえる薄い壁。そしてもう何年も換えられていないだろう褪色して元の色がはっきりしないカーテン。

えてして、こんなホテルだと景色も望めないものだ。運が悪ければ、すぐ目の前に隣のビルの窓があったり……。

開いたカーテンの端を握ったまま、私は動きを止めた。

外にあるのは、裏街の風景でも、隣のビルの壁でもなかった。

そこにあるのは、ただの暗闇だった。まるで月も星も無い闇夜のように。

最初は主人公のいる場所が描かれている。場所はどのような小説でもまず描かねばならないものである。ただ、この場所が豪華なホテルではなく、なんだか薄汚れた、奇怪なものが現れそうな場所として描かれている。「闇」を描くにふさわしい雰囲気を感じさせる。場所なども筋と対応するものとして描かれている。

さらに、出張でホテルに来て、窓のカーテンを開くという行為が描かれる。このような行為がなければ、外部の「闇」に出会うことができない。それに、その外部は主人公が予想していた外部ではなく「闇」であり、主人公の内部に驚きと怖れの入り混じった感情が生じる。

このあと、さらに次のようなことがつづく。

暗闇とはいえ、窓の外には確かに空間のひろがりを感じる。いやむしろ、ひろがり以外の「何ものか」の存在を感じさせない、圧倒的な空虚さをそなえた暗闇だった。

ベッドの脇に据え置かれた、非常用の懐中電灯を手にする。——中略——

ガラスの反射に遮られながらも、外に光を向けてみる。

光は、どこにも届かなかった。届くべき「果て」が存在しないかのように。

窓はビジネスホテルにありがちな造りで、換気のために片側がほんの数センチ開くだけだ。その隙間から、硬貨を一枚落としてみた。窓の隙間に耳を押し当て、耳を澄ます。

この部屋は五階にある。ほんの数秒で硬貨は地面に達するはずだ。

だが、どれだけ待っても、地面に落下する音は聞こえなかった。まるで無限に広がる宇宙空間の只中に、この部屋だけが漂流しているかのように。

私は今外したばかりのネクタイを付け、上着を着てホテルをチェックアウトした。


自分の前には闇だけが存在しているという怖れを打ち消すために「硬貨を一枚落としてみた」のだが「地面に落下する音は聞こえなかった」という外部からの反応があり、「私は今外したばかりのネクタイを付け、上着を着てホテルをチェックアウトした」という行為に出る。と同時にこの行為はいかに主人公が「闇」を怖れ出したかの内部をも示している。その怖れがホテルをキャンセルするという行為を促したのである。

このように、外部、行為、内部のどれかを中心に据えたからといって、他のものがそれに密接に関係しあっている。それをも丁寧に描かなくてはならない。

このことに注意しながらも、どれか一つを中心にして筋を考えるのである。まず最初に、外部中心の筋について考える。この場合、小説では事件という特別な出来事が中心となる。それについては次節で深く考えてみよう。

4　事件中心の筋《プロット》の描き方

まず、事件について定義しておこう。事件も出来事であるが、特殊な出来事である。出来事には、ひごろよく起こる出来事と日常ではめったに起こらない出来事とがある。いつも起こらないことが起こったらそれを事件という。小説に書かれるのは事件である。ある人が言っていた。出勤する朝、いつもの電車には乗らずに、逆方向への電車に乗ったとする。それが事件であり、小説になると。

ただ、事件ととらえるにはある距離が必要であり、当事者から見ればいつもと違う行為をすることである。それを傍から見れば事件となる。

だから、事件中心の小説は、傍から見知った、すでに起こった事件を他者に伝えようとする形、つまり物語型が多い。そして、事件は出来事の一種だから、ある出来事が発生し、周囲にいろいろ影響を与えたり、周囲からいろいろ影響を受けたりしながら、ある方向に向かって持続し、変化の結果を残して終焉する。この場合、事件の発生が、筋を引っ張っていくことになる。これを**事件発生小事件**とでも名付けておこう。この事件によって、いろいろな出来事が生じていくのだが、それらの出来事を**小事件**と名付けておく。そのような部分的な小事件が因果的に繋がって、連続してあるまとまった「一つの事件」となるのが普通である。その場合、語り手が最も伝えたいと思っている最重要な出来事（事件）を最重要小事件と名付け、この小事件を生じさせるためにそれ以前の小事件を次々と時間的に因果的に描いていく。ただし、最重要小事件は小事件をまとめたものではなく、小事件の連続の最後辺りに、筋を決着させる事件として生じるものである。最重要事件も小事件の一種である。筋を成立させる事件とは、小事件の連続を**一つの事件**としてまとめ、最初から最後までを一貫した事件としてとらえたものである。

　小事件は主人公または中心人物がそれを生じさせる場合が多いが、彼・彼女らに影響を与える偶然の出来事も多い。しかしいずれの場合も、作者にとっては意図的なものである。

　事件中心の筋で小説を書こうと考えた場合、この最重要小事件を前もって設定し、それに向かって小事件を次々と描いていけば自ずとプロット的筋になる。

　以上のことを前述にも引用した松本清張の「恐喝者[3]」を例として具体的に示してみよう。

「恐喝者」は次のような小事件が繋がってできている。

　一の小事件―大雨が降り、筑後川が氾濫し、刑務所の二階まで水が上がってきて、囚人の凌太は他の囚人たちといっしょに水の中へ飛び込み脱獄する。

　二の小事件―凌太はようやく一軒の家にしがみつき、這い上がり、家の中へ入る。そこには二十二、三歳の主婦と思われる女性がいてとがめられるのだが、その家も水流によって壊され流されようとする。そこで、女性を背に乗せて、再び泳ぎ出し、助ける。しかし女性は水を飲み、瀕死の状態になる。ようやく陸地に辿り着き、凌太は女性を下ろし、彼女の上に乗り、人工呼吸をして助けるのだが、気づいた女性は性的いたずらをされていたかもしれないと勘違いする。

三の小事件—凌太はその後いろいろ職を変え、逃避行を繰り返す。しかしこれについての記述は一行のみで、しかも説明されるだけである。

四の小事件—凌太は山奥の水力発電用のダム工事の現場で働いていた。そこへ新しい所長が赴任してくるが、彼の奥さんが偶然にも水害時に凌太が助けた女性である。凌太はその女に会いたくなり、彼女が住む社宅の周りをうろつく。凌太はただ、会いたいだけである。女性は凌太を見つけて青ざめ、家の奥に駆け込むと五千円を持って現れ、凌太にそれを渡すと「二度とここに来ないで」と懇願する。なぜ女が五千円を渡したのかを考え、凌太は怒りを覚える。それから何度も凌太は女の家を訪れ、二千円を恐喝するようになる。

五の小事件—加持という同僚が、凌太が女性を恐喝しているのを目撃し、それを利用し、自分も女から金を巻き上げようと考え、凌太が事故に遭って寝ている隙に、女に会い、うまく言って一万円をまきあげ、さらに次の日、彼女を誰もいないところへおびき出し、彼女を犯そうとする。寝ている凌太がそれに気づき、痛い足を引きずりながら加持を追い、ちょうど加持が女の上にまたがろうとしているとこで彼に体当たりし、二人は崖下へ転落する。

この五つの事件すべてが因果関係によって繋がっている。最重要小事件は五の事件で、自分の行為が加持によって利用され、しかも加持が彼女を犯そうとしていることに激怒し、身の危険も顧みず彼に突進していく凌太の心情と憤怒、彼女とまともな関係を結べない状況の哀れさが焦点化されているところである。

作者が五の事件を頭において、他の事件をそれに向かわせるように書いていけば自ずと「プロット的筋」になる。

筋の基体は「奥さんと呼ばれている女性との関係」であり、変化は純な関係から「偽の不正な関係」へ、さらに、「再び純粋な関係」へと進展していくことである。

この作品が常に読者を引きつけるのは、どの小事件も危機的な事柄を描いているためであり、小事件の連続によって事件の核心へ、つまり最重要小事件へ誘《いざな》っていくからである。

5　行為中心の筋《プロット》の描き方

行為中心の筋では、事件の筋と違って、主人公が自分の進んで行く道をわきまえている。したがって、筋を成立させる基を冒頭辺りで描く必要がある。

行為には、何かをしよう、何かを成し遂げようという、行為の方向性がなければならない。この行為の目指す方向性が「志向性」と呼ばれる。そうして行為を成し遂げた暁に生じるであろうことを「志向内容（目的・目標など）」と名付けておく。

また、行為が発生するには、自らの欲望、欲求、願望などが元となり、志向内容を生み出し、行為し始める場合と、何かが生じてその処理のために行為を始める場合や、他者からの命令や要求や懇願によって何かを行う場合とがある。前者は能動的行為であり、後者は受動的行為である。さらに受動的行為の中には、その行為を積極的に受け入れて行為を始めようとする場合と、しかたなくそれを行う場合とがある。前者は「受動・能動行為」、後者は「受動・受動行為」である。

さらに中心となる行為を成立させるためには、手段となる部分的な行為がなければならない。たとえばある場所へ行こうとする場合、駅に向かって歩く行為、電車に乗る行為、電車を降りる行為、駅から目的の場所へ向かって歩く行為など、様々な行為があって、ある場所へ行くということが成り立つ。この手段的な行為を小行為と名付けておこう。小行為が連続しあってある行為が成りたつのである。

なお小説全体を覆うような中心的な行為には、それを行おうとする意思が生じていなければならないが、その意思には深い理由がある場合がある。それは主人公の現在おかれている状況であったり、過去体験であったりする。このように行為を成り立たせる深い理由をE・ミンコフスキーは行為の「源泉」と名付けた（『生きられる時間 1』[k]）。小説に源泉を書き込むことによって、行為が深い意味を持つことになる。したがって、源泉を書き込む必要のある場合が多い。

そこで、この源泉についてさらに事例を挙げて説明してみよう。事例は勝目梓の「埋葬[35]」である「埋葬」の主人公・清水弘は、公園にテントを張り、そこを住処として、ホームレスまがいの生活をしている。住所を娘の家において、年金を受け取り、それでしのいでいる。

ある朝、新聞を拾い、コンビニで朝昼兼用の弁当を買って、公園へ帰ってくると、幼稚園児ぐらいの女の子が生まれたばかりの子猫を抱いて泣いている。尋ねると、拾った猫を家では飼ってはいけないと言われ、公園へ捨てに来たそうだ。だが捨てきれず、泣いているのだ。女の子にはおばあさんとお母さんがいるが、お父さんはいない。猫は女の子によってミミーと名づけられ、清水はその子からミミーをもらって欲しいと頼まれる。彼はミミーを飼うことを引き受け、さらには、この子が毎日ミミーを見にくると言うので、時刻を今と同じ頃と定めて、必ず毎日連れてくると約束する。

ここまでが、志向性発生の様子が描かれたところだが、志向性は女の子による必死の「懇願」とそれを積極的に引き受ける清水の「受諾」である。この場合、断ることもできたのだから、外見上は受動的なようだが、積極的「受諾」であり、「受動・能動行為」である。

「猫のミミーを大切に育て、毎日ここへ見せに来ること」が清水の志向性となり、それを果たしきることが「志向内容」となる。また、猫を巡っての「女の子との約束」が筋の基体であり、それを成し遂げる様々なことが変化である。このように、行為の基体はある目的への志向性であり、変化はそれを阻むものとの闘いの様子となる。

さらに、清水がアケミ（女の子は自分の名前をすでに清水に明かしている）の願いを積極的にかなえてやろうとするのには、清水の過去や現在の状態が大きく影響している。つまり「源泉」がある。それは次のようなことだ。

清水は小さなインテリア専門の工務店を経営していたのだが、仕事仲間が不渡りを出し、それによって、連鎖倒産してしまう。その後すぐに、妻が自殺する。二年前から妻は癌を患っていたのだが、病院の屋上から飛び降り、遺書に自分の生命保険を負債の返済の足しにして欲しい、と書かれていた。それを読み、清水の心が折れる。「心棒がへし折れたのは、三十七年間苦楽をともにしてきた頼子の遺書を読んだとき」からであったと述べている。清水は自分の生命保険も解約し、売れるものはすべて売り尽くし、借金の返済に充て、完済したのだが、そこでもう生きる意欲を失った。だが、自殺する勇気もなく、また、娘には迷惑をかけたくないとの思いもあって「世捨て人」になることを決意し、今のような生活をしている。自分の娘には、お遍路に出ていると言ってある。

これがわかると、清水が、アケミやミミーに優しくする意味が深まる。アケミやミミーは、自分と境遇が似ていると思い、哀れさが増したのだろう。ネコを飼うことを許されない父のいないアケミも、放置されたミミーも自身と同じく、ままならない世の中にいることや、逢えない娘や孫と重なっていたのかもしれない。

以上が、他者からの働きかけによる行為中心の筋の事例だが、もう一つ、事例を挙げておこう。

丸山健二の「夢の影」[36]だが、主人公の行為の志向性は、ある男を殺すことである。殺したい男は、姉をたぶらかして性的関係を結び、都合が悪くなると彼女から逃げ去った男である。姉はそれが元で廃人に追い込まれる。ところがその男は平然と川で貸しボート業を営んでいる。それに怒った主人公が男を殺すことを決意し、ある日、それを決行しようと、彼に近づく。

書き出しは、凶器を持って貸しボート屋の男の一挙手一投足を見守っているところから始まる。すでに行為が始まっている。行為目的の発生や、その原因をつくった姉の様子などは、殺す機会を狙いながら思い出すという形で、要約して述べられる。

この場合の行為の発生理由は姉に生じた事件だが、そればかりではなく、彼の独自の世界観や正義感や欲望などが大きく関係している。これは「何かが生じてその処理のため」という項に入る事例とも考えられるが、姉の現在の状態を改善しようとするのではなく、憤怒に駆られ、男を殺そうとするのだから、自らの怒りを元にした能動的行為とも考えられる。

ところで、志向性が発生し、志向内容（姉をたぶらかした男を殺すこと）が明確になり、遂行のためのエネルギーが満ちると、行為が始まるが、目的が達成されるまでには、行為遂行を妨げる抵抗者、抵抗事項と戦わなければならない。抵抗事象には外部事象と内部事象とがあるが、「夢の影」ではほとんどが内部事象であり、内部の抵抗をどう諫めるかが最も重要なこととなる。というのも主人公の男はもと警察官であり、現在は僧侶である。両方とも一般人以上に殺人を否定する立場の仕事である。したがって、仕事によって示された思想を打ち負かさなければ、殺人はできない。それらとの格闘が主に描かれている。最後は、障害を持った貸しボート屋の子どもの声と寺の梵鐘によって、殺人を停止するところで終わる。つまり目的の挫折で終わる。

なお「埋葬」も「夢の影」も展開構造としてとらえれば次のようになる。

秩序の破壊（今までの安定した生活に突如、それを揺さぶる出来事が生じ、行為事情が生じる）
←
試練（行為目的を遂行する力が満ち、行為を始めるが、幾多の抵抗に遭い、それらをなんとか克服して、目的達成に至ろうとする）
←
秩序の回復（目的が達成され、または、挫折し、行為が終了する）

（展開構造はグレマス『構造意味論[1]』による）

この展開構造は行為中心の小説によく当てはまる。秩序の破壊は他者や外部によってなされる場合と自らが破壊する場合とがある。試練は自己の行為遂行に対して抵抗に遭うことで、それを手段的な小行為によって克服していくことだ。

秩序の回復はその結果である。

行為の筋を、さらに上位の筋としてまとめると、以上のようになる。

6　内部中心の筋《プロット》の描き方

人の心の様態といっても様々であるが、そのうち思考などは行為中心の筋とほとんど同じ展開をする。内的な問題が生じ、それを解決すべく、色々なことを考えたり、行動したりする。その過程で抵抗事象に遭い、それを克服して、ついに問題を解くといった過程をとる。

今回、ここで考えたいのはそれらとは違い、感情や気分といった感情的な筋である。この筋は、行為中心の筋と大いに異なる。行為中心よりも複雑であると考えなければならない。

ハイデガーという有名な哲学者が気分は外からやってくると言ったが、感情も同じである 感情的なもの（例えば、怒り、悲しみ、不安、恐怖、喜びなど）は、意志によって生じさせることができない。外部との接触、交流によってのみ生じるものである。この特徴が、感情的内部中心の筋を考えるときに第一に考えておくべきことである。ただ、感情的なものには、生じてすぐに消えるものもある。そのようなものは筋にはならない。同一の、しかも持続的に推移する感情でなければならない。

さらに、注意しなければならないのは、一見、瞬間的に見えるものでも、よく考えると持続的に推移してきたものである場合もある。例えば、次の子どもの詩を読んでもらいたい。

虫けら[37]

①一くわ
②どしんとおろして　ひっくり返した土の中か
③もぞもぞと　いろんな虫けらが出てくる
④土の中にかくれていて
⑤あんきにくらしていた虫けらが
⑥おれの一くわで　たちまちおおさわぎだ
⑦おまえは　くそむしといわれ
⑧おまえは　みみずといわれ
⑨おまえは　へっこき虫といわれ
⑩おまえは　げじげじといわれ
⑪おまえは　ありごといわれ
⑫おまえは　虫けらといわれ
⑬おれは　人間といわれ
⑭おれは　百しょうといわれ
⑮おれは　くわを持って　土をたがやさねばならん

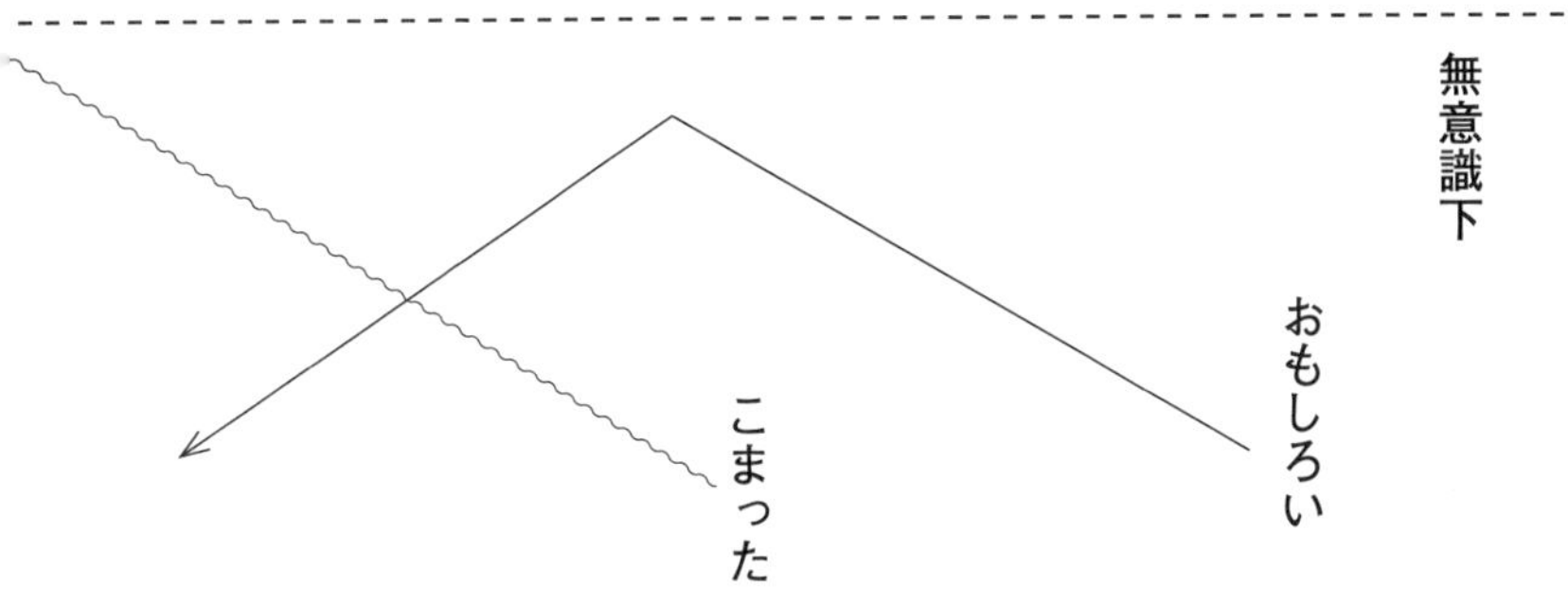

⑯おれは　おまえたちのうちをこわさねばならん
⑰おまえたちの　大しょうでもないし　敵でもないが
⑱おまえたちを　けちらかしたり　殺したりする
⑲おれは　こまった（ゴシックは筆者、以後同じ）
⑳おれは　くわを立てて考える
㉑だが虫けらよ
㉒やっぱりおれは土をたがやさねばならんでや
㉓おまえを　けちらかさんでならんでや
㉔なあ　虫けらや　虫けらや

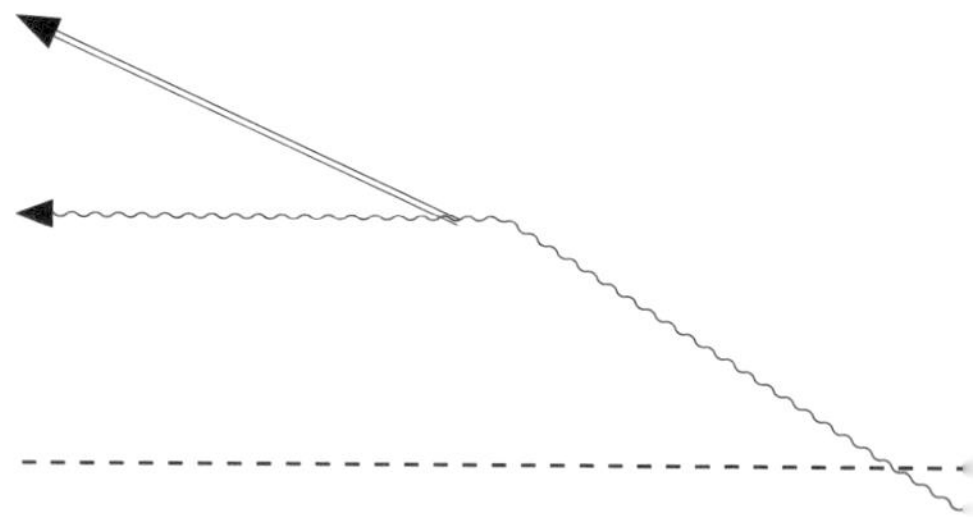

（大関松三郎〈子ども〉）

前半の①②③④⑤⑥⑦⑧⑨までは、作者は虫けらを見ておもしろがっている。ところが、⑩⑪と進むにつれて虫たちに親しみを覚え、自分と同じ生き物であることに気づき、⑫⑬⑭でそれをはっきりと自覚し、同じ生き物として見るようになる。それが⑮⑯⑰⑱でこまった感情が高まり、**⑲で頂点となる。**しかし、自分が百姓だからやっぱり耕さねばならないという**不条理**に気づき、㉓㉔でそれはやむを得ないことなんだ、わかってくれと、虫たちに語りかけていく。

この場合の筋の基体は困惑であり、その困惑が徐々に高まり、最後には不条理に気づくという変化で終わる。このような推移は小説においても同じで、感情中心の筋における基体は「ある感情」であり、それが外部の同質的刺激によって徐々に高まっていき、意識され、最高点に達し、その後、行為に発展したり、あることに気づき、その感情を消滅させたりする。ただし、感情の展開の多くは無意識下でなされることに注目して欲しい。無意識下だから、表現には出てこない。言表の部分は、外部の刺激の部分であったり、それへの表面的な反応だったりする。ただし、外部からの刺激は、同質の刺激でなければならない。そのことで感情は意識下で発展するのである。この詩は「お前は〇〇といわれ」の反復と「おれは〇〇といわれ」の反復である。つまり「〇〇は〇〇といわれ」が反復されることにより、困惑が発展していく。けっして突然にこまったわけではなく、こまったという感情は少しずつ強まっていき、その頂点でついに「こまった」という言葉が出てきたわけである。

　この場合の外部は、今述べたように同質の刺激を与える出来事である。このように筋の始まりに近いところから、すでにこれから描くであろう同質の出来事を描き、無意識下で感情を発展させておく必要がある。

　夏目漱石も『文学論　上』[m]で「有力なるS（外部からの刺激）を加えざるときは、F（ある感情＊筆者記）は自己の有する自然の傾向に随ってF′（ある感情の消滅）に移る」と述べている。

　感情とは例えば、歓び、困惑、怒り、不安、気分、思念、ある思い、などであるが、これらを中心に据えて書く場合、事件中心の筋や行為中心の筋では出来事の関係は「開かれた因果関係」「生活世界の因果関係」であったのが、感情中心の筋の出来事では今述べたように同質刺激の反復関係となる。

「虫けら」の詩で「おれは　こまった」という感情は徐々に強まっている。しかし、感情には、前述したように、一瞬だけ感じるもの、あるいは、持続がたいへん短いものなどがある。持続しやすい感情には、歓び、快感、悲しみ、不安、鬱、怨み、嫉妬、困惑、気分、不満、好意、嫌悪、親しみ、不快、不条理などがあり、持続しにくい感情には、驚き、おかしさなどがある。しかし、持続しやすい感情にしても、前述したように、長時間持続するには絶えず外部からの反復的刺激が必要であり、それがなければ、よほど強い刺激でない限り感情は持続しない。

また、ある刺激を受けてある感情が生じたとしても、いくつかの感情や欲求などが混じりあっている場合が多い。「虫けら」で鍬で畝をひっくり返して、たくさんの虫が出てきて右往左往しているのを見て、とっさに「おもしろい」と思った気持ちが強かったとしても、こんなにたくさんと驚いた気持ちもあったと思う。

それに「こまった」の気持ちには「こまりたくない」いう反対の気持ちも付随している。特に、不快感情の場合、それと逆の感情への欲求が付随することが通常である。不安なら不安を解消したいという欲求が付随している（この感情が後ほど述べる、結末のあり方に関係する）。

このように一つの感情だけではなく中心的な感情にくっついている「それに近い感情や逆の感情」のことをW・ジェームズは主感情の「辺縁」と呼んでいる（『心理学　上』ⓗ）。

さらに「おもしろい」「こまった」などの感情は心の様態であり、実感はあっても実体はない。しかし、ウィキペディアによれば哲学的用語の意味として、運動とは「『時とともに空間的位置を変えること』だけでなく、形態、性質、機能、意味などが変化すること全般を指す用語」とある。「おもしろい」「こまった」など感情も運動する。したがって、感情にも基体があり、それが持続し様態が変化する。

しかし、その変化は、実体のような位置や形姿や性質などの変化ではなく、基体の強度の変化である。

さらに、もう一つ考えなければならないことがある。それは感情を刺激する外部の出来事に出合うには、主人公や中心人物の行為がなければ出合えない。外部の反復的刺激に出合うための行為が必要である。「虫けら」では田畑を掘り起こすことである。そしてこれらの行為を補助的行為と名付けておく。感情中心の筋には、ほとんどの場合、この補助的行為が必要である。つまり筋が二つ重なる場合が多い。この行為がなければ、主人公の感情に刺激を与える出来事とは出合えない。

さらに、感情の発生には外部の刺激だけではなく、それを受け取る人物の個性が影響する。つまり刺激を受けて感情が生じるには、その人の「源泉」があったり、さらに、刺激を受け取る以前にある感情や気分が生じていたりする。筆者はこれらを「受け皿」と呼んでいる。源泉や今の状況や今の気分や感情も書き込んで「受け皿」を明示しておく必要がある。

以上が、さしあたって小説において感情を筋とする場合の基本として知っておいて欲しいことである。これらのことを次に具体的な事例で示してみよう。

まず、第一章2で引用した芥川龍之介の「蜜柑」[①]を例にして考えてみる。

主人公は二等客車に乗ってどこかへ行こうとしている。これが補助的行為である。なお、当時はまだ汽車で、煙を吐いて走っていた。

彼の心はすでに憂鬱な気分であった。「私の頭の中には云いようのない疲労と倦怠とが、まるで雪曇りの空のようなどんよりした影を落としていた」というような状態である。これがこれからの感情の受け皿となる。

そこへ、十三、四才の「油気のない髪をひっつめの銀杏返しに結って、横なでの痕のある皸《ひび》だらけの両頰を気持の悪い程赤く火照らせた、如何にも田舎者らしい娘」が乗ってくる。しかも三等切符を握りしめている。服装も不潔である。

この娘の登場は彼の気分をさらに陰鬱にさせる。娘に気をとられるのを避けようとして新聞を見るが「世間は余りに平凡な出来事ばかりで持ちきって」いて、おもしろくない。これもまた気分を滅入らせる。

そこへ、いつの間にか娘が隣の席へ来て、列車の窓を開けようとしている。この辺りにはトンネルが多いのだが、窓を開けられると煙が入ってきて不快になる。そのようなことを考えないで行動する娘にいっそう不快を感じる。とうとうトンネルの入り口にさしかかったとき、窓が開けられ煙が入ってくる。「私は、手巾《ハンカチ》を顔に当てる暇さえなく、この煙を満面に浴びせられたおかげで、殆《ほとん》ど息もつけないほどせきこまなければならなかった」。ところが娘の方は首を外へ出し、じっと汽車の進む方向を見つめている。主人公の不快が頂点に達し、気分が最悪となる。もし、すぐに列車がトンネルを抜けなかったなら「この見知らない小娘を頭ごなしに叱りつけてでも、又元の通り窓の戸をしめさせたのに相違なかったのである。しかし汽車はその時分には、もう安々とトンネルを辷《すべ》りぬけて」踏切にさしかかっていた。その踏切の柵の向こうに頰の赤い三人の男の子がめじろ押しに並んで、一斉に手をあげて歓声をあげた。「するとその瞬間である。窓から半身を乗り出していた例の娘が、あの霜焼けの手をつと伸ばして、勢よく左右に振ったと思うと、忽《たちま》ち心を躍らすばかり暖かな日の色に染まっている蜜柑が大凡そ五つ六つ、汽車を見送った子供たちの上へばらばらと空から降って来た」主人公は思わず息をのみ、「そうして刹那に一切を了解」するのである。そうして「私はこの時始めて、云いようのない疲労と倦怠とを、そうしてまた不可解な、下等な、退屈な人生を僅に忘れる事が出来た」のである。

このように娘が蜜柑を窓から投げるまでのすべてが主人公の不快感や憂鬱な気分を助長するものばかりであるが、最後にそれが逆転するのである。筆者はこの最後の「どんでん返し」を「逆反復」と名付けている。これも反復の一種と考える。つまり娘によって憂鬱な刺激を与えられ、持続、強化されていた不快感、憂鬱感の裏にくっついていたこの気分から逃れたいという思い、つまり辺縁の思いが、最後に成就されるのである。「どんでん返し」とは、ただ予想もされないことが生じるということではなく、主として強化されてきた感情の裏に、それとともに生じていた逆感情の願いが成就できるようにする出来事に出合うことである。「どんでん返し」は、前出の出来事と正反対の出来事に出合うことであり、これは外部の出来事が「逆反復」したのだと筆者は考えることにしている。したがって、前の出来事と逆反復という形で繋がっていると考えるのである。

もう一編現代文学での例を示しておこう。前述した増田みず子の「煙」[32]という作品である。

「煙」は、主人公の銀子が役所からの帰りに薬局で買い物をし、アパートの家に着き、少し休憩してから銭湯に行き、湯船に入るまでのごく短い時間の出来事を描いたものである。

これらの行為が内的筋を成り立たせる補助的行為である。

作品の冒頭は、頭痛薬を買いにスーパーの二階の薬品部へ行く場面である。品物を受け取るとき、「お大事に」と言って欲しくなり「頭痛が直らなくって」と言ってみたが、「どうもありがとうございます」と言うだけで「お大事に」とは言ってくれなかった。なんだか話しかけて損をしたように思う。

頭痛を感じているのは、当日、役所で上司に呼ばれ、通うのに不便なところへの転勤を勧められたからである。この時生じた感情がこれから生じる感情の受け皿となる。

自宅のあるマンションに着き、階段を上がっていくと、背広姿の大男が、あるドアから飛び出してきて、すごい力で銀子にぶつかる。銀子は何段か転げ落ちる。男は謝りもせず、たばこを吸いながら銀子の様子を眺めていたが、彼女の顔に煙を吹きかけてそそくさとどこかへ去ってしまう。

自宅に帰り、部屋をロックし座り込む。しばらくじっとしていると、不合格だった第一志望の大学入試の合格発表を見に行った帰りに、車内で痴漢にあったことを思い出す。また、テレビではばらばら殺人事件のニュースが報道されていて、銀子はそれを見つめたのをきっかけに、医者が家族の首を絞めて殺して、ゴミ袋に入れて捨てたという事件を思い出したりする。すると、自分も誰かに殺されることがあるかもしれないと不安になってくる。

さらにそれによって、かつて一緒に生活していた夫のことが蘇ってくる。

夫は突然いなくなったのだが、まだ戸籍はそのままにしてある。夫と一緒にいた頃、階段の下に積まれていた古新聞が燃やされた事件や、近くの酒屋の娘がナイフで刺された事件を思い出し、ひょっとしてあれは夫の仕業ではないかと疑ったりする。

このように、外部は全て人への攻撃的な出来事であり、銀子に対しても攻撃的で、攻撃性という機能が反復されている。これらによって銀子の内面は徐々に不安感が増し、鬱な気分が強まっていく。これが感情を中心にした「プロット的筋」である。

ただこの場合、ぜひ注意しておかなければならないことが一つある。それは、主人公の感情に刺激を与えて感情を持続、強化する出来事はすべて、そこだけで完結した出来事でなければならないということである。もし、出来事の途中で切られて、感情に関わる出来事として一部しか描かれていないと、読者はその後の展開を期待し、感情の展開と出来事の展開へと分裂してしまう。

　さらに、反復される出来事は、主人公に生じている様々な出来事の中から、主人公が思考するために選んだものである。このことは、主人公が外部をどのように見ているのか、自分と外部との繋がり方をどのように考えているのかを示している。作者もそこを狙って書いたのかもしれない。

『感情とは何か』ⓞで清水真木《まき》は「感情は私と世界の関係を表す」と言い、さらには「『私とは何者なのか』を（感情は）教えてくれる」とも述べている。

　また、論文「近代社会と分裂病的意識」ⓟで、森下伸也が、「共同体の崩壊によって、家族の外部の社会的世界の一切が『敵』と化し、一般的社会関係のどこにも相互扶助と肉親的同胞愛の充足を求めえなくなった」と述べている。昨今の出来事を考えると、最後の砦である家庭さえも崩壊し、家人さえ「敵」となりつつある（夫に裏切られた銀子はまさにそのような状態である）。人は孤立し、頼れる、持続的で同胞的な友好関係がなく、個人の周りがすべて「無関心な人」か「敵」で取り囲まれている。このような状況の中で「個」は如何にして生きながらえていくべきかという問題を、銀子は突きつけられる。

　銀子のこの問題への対処は、作品の最後の場面に現れる。

　銀子は近所の銭湯に行き、風呂に入るが気分が悪くなって、再び脱衣所に戻ったとき、壁を隔てた向こう側から「俺の石鹸は？」という横柄な男の声が響いてくる。「入っていないの？」と、男の妻と思われる女が聞き返す。「入っていないよ、お前、どうして持ってきてくれなかったの？」と男の声。「持ってこなかった」と溜め息のような声で女が答える。「どうしてだよ。俺に石鹸なしで洗えっていうのか?」と怒りの声を投げつける(攻撃的)。女はふいに唇を歪め、はっきりと嘲笑を浮かべると、壁に背を向け、男が何かわめいているのを全く無視して、浴場に入っていく。銀子は再びその女の後を追うようにして、湯船に向かい、首までつかる。

銀子はこのような女性を見ることによって、周りの敵に立ち向かう勇気と力を見せつけられ、自分もそのように自力で周囲の攻撃に対抗しなければならないことを悟る。

この場合、作品の外部は、最終場面まではすべて直接、間接に彼女への攻撃という機能を果たしている。また、攻撃の反復により、彼女の不快感や憂鬱さが増していく。

彼女をめぐる筋の基体は「外部からの攻撃による不快・鬱な気分」である。彼女を攻撃する出来事が次々に生じて不愉快や不安が持続し強まっていく。そして、最後に、銭湯での一人の女性に会い、感情・気分を解決する糸口を摑むのである。

この最後の出来事は前述の「逆反復」となっている。

感情などの心理中心の筋で小説を書こうとする場合、まずどのような感情を書きたいのかを決め、その感情を刺激する小出来事と次々に出合わせていけばいい。ただ、そのような出来事と出合わせるためには「補助的な行為」がなければ出合わせられない。だから、補助的筋を設定する。例えば「蜜柑」では「電車に乗ってどこかへ行く」、「煙」では「会社からの帰宅や、家に帰りいろいろなことをして、銭湯に行き、湯船に入るまで」の行為などを設定し、その過程で、設定した感情を刺激し強める小出来事に次々と出合わせている。そのように描けば内部中心の小説になる。結末は「逆反復」の「小出来事」

に出合わせて終わるのも一つの終わり方である。
結末については、後の「結末の描き方」の章で詳しく検討することにする。

7 小説における一般的な筋《プロット》

——「謎掛け―謎解き」の筋、および「問題―問題解決」の筋

今まで、具体的な内容に沿った「プロット的筋」について考えてきたのだが、ここでは抽象度を目一杯上げて、小説の基本的な筋について考えてみたい。

それについて、新田義彦は「物語構造の動的観想⑨」において「重要な『物語の構成要素』として、『謎掛けと謎解き』があるのではないか」と述べている。さらに「謎掛けには未知の知的領域に聞き手(物語の消費者)を引き込む媚薬のような仕掛けである」とも述べ、小説の大きな仕掛けとしての「謎掛け―謎解き過程―謎解決」という読者への働きかけを基にした小説の一般的筋を提示している。

確かに小説は、一体このことがどうなるのだろうかという興味でもって、次々と読み進めていく。前出の松本清張の作品「恐喝者③」では大洪水が起こり、囚人・凌太が洪水の中に飛び込んだところから、彼はどうなっていくのかといった謎が生まれ、それに引き込まれて読んでいく。さらに泳ぎに疲れ果てたとき一軒の家に辿り着くが、誰もいないと思い奥に入り寝転がっていると女が出てくる。凌太も女も驚く。ここで、凌太は一体どうするのかと新しい謎が生まれ、さらにその家が流されそうになると女を背負い濁流に飛び込むが、一体凌太と女はどうなるのかといった謎が生まれ、それを解こうと次を読ん

でいく。

このように「プロット的筋」は「謎掛けの連続―謎解きの連続」として成立していく。ただ、これは読者の立場からとらえたもので、これを主人公の立場から考えると「問題の発生―解決を求めて活動する―解決、または失敗する」ということになる。

この場合「問題解決過程」をもう少し詳しく検討すると、作品の始め辺りから最後にかけて、作品全体を覆うような「問題発生―問題解決過程」(謎掛け―謎解き)があり、これを「一貫的問題―問題解決過程」(一貫的謎掛け―謎解き)としておく。作品「恐喝者」においては「凌太はいったい今後どうするのか」が「一貫的問題」(「脱走した凌太は一体どうなるのか」が一貫的謎掛け)であり、それに対し、「一貫的問題―問題解決過程」の過程において価値的に最も重要な「小問題―小問題解決過程」(小謎掛け―小謎解き)を「最重要小問題―小問題解決過程」(最重要小謎掛―小謎解き)とする。「恐喝者」では「女性と再び会って凌太はこれからいったいどうするのか」が最重要小問題となる(再び女性と出会い凌太と彼との間にどのようなことが起こるのだろうかが、最重要小謎掛け)。

作品「埋葬」㉟では「猫を飼いつづけることができるのか」が主人公の「一貫的問題」である。非行少年たちが現れ、猫にちょっかいを出し始めたときに「この少年たちにどう対処するか」が主人公の「最重要小問題」となり、問題解決過程が生じる。

これをもう少し詳しく言うと、問題(謎掛け)を生じさせる事項(出来事)が生じ、問題(謎)が発生し(例えば猫をもらってくれと頼まれ、それを引き受け、今後、どのようにしてそれを飼いつづけるかという問題が発生)その問題(謎掛け)を解決しようとする活動が始まる。その過程において、活動(運動)

にエネルギーを与える事象や活動を援助する事象、反対に活動を阻止しようとする事象が生じる（猫を飼いつづけるエネルギーを与えるのは、女の子が毎日見に来ることや女の子の喜び、主人公の優しさや主人公の猫への愛情、それを深層で支える主人公の源泉など）。阻止を克服し、さらに活動が持続し、以前とおなじようなことが繰り返され、最後に決定的な出来事が生じる（少年が現れ、猫を殺そうとする。これが主人公の活動を阻止する決定的な事項である。それに対し、主人公が少年たちを打ちのめす）。ここで問題が解決、または失敗する（猫が死に、女の子との約束を果たせなくなる。このことによりいったいこの約束がどうなるのかといった謎が解ける）。

様々な作品を以上のような過程としてとらえることができる。このように小説は「謎掛け――謎解き」あるいは「問題――問題解決」という大きな枠組の中で筋をとらえることができる。

8　筋《プロット》の結末の描き方
——どんでん返しの方法はよく考えて

事件中心の筋、行為中心の筋、内部中心の筋をひっくるめて、筋の結末の描き方を考えてみたい。

結末とは、読者の立場から言えば、終わりを受けて、「ああ、よかった」「おもしろかった」と、作品の外へ出ていくことである。または、そうさせることである。これが結末の機能である。

これを作品側から言えば、これまで持続してきた「一つの出来事」が終わること、つまり「一つの運動」が終わることである。運動が終わるには、運動が消滅するか、その運動が基礎となって、別の運動へ発展するかである。後者の場合もこれまでの運動が消滅することである。

しかも、小説の結末はなるべくインパクトのある終わり方が望ましいが、しかし、ただそれだけではいけない。重要な条件がある、それは、読者がその結末に納得のいくものでなければならないということである。

アリストテレスは「詩学」[a]においてで次のようなことを言っている。

物語には「単純」な物語と「複合的」な物語とがある。そもそも物語の中で描写されるところの行為そのものに、すでにそのような区別が存するからである。「単純な行為」とは何かといえば、ある行為が先に規定された意味での連続性と統一性を保ちつつなされてゆくことによって、主人公の運命の変化が「逆転」や「認知」を伴うことなしに起こるような場合、その行為を「単純な」と呼ぶのである。これに対して「複合的な行為」とは、ある行為がなされることによって、運命の変化が「逆転」と「認知」のどちらかまたは両方を伴って起こるような場合、その行為を「複合的」と呼ぶのである。

そして、これらの「逆転」（どんでん返し）や「認知」は、あくまでも物語の構造そのものの中から導きだされなければならない。

また、P・リクールは「時間と物語　1」[c]の中で次のようなことを言っている。

> 話を理解するとは、継起するエピソードがなぜ、どのようにして、この結末に到達するかを理解することであり、その結末は予想されるどころか、話によって集められたエピソードと適合するものとして最後に受け入れられるものでなくてはならない。

両者とも、「結末」は、決してそれまでの筋と繋がりのないものであってはならない、と言っている。筆者もまったく同感である。結果が逆転する内容であったとしても、これまでの出来事と繋がりあって、納得できるものでなければならない。

では、それまでのエピソードとどのように繫げば納得のいく「逆転」となるか。

事件中心の筋の説明において事例として示した松本清張の「恐喝者」[3]の結末を考えてみよう。結末は前述したように加持という同僚が、主人公の凌太が洪水から救った女性を恐喝しているのを目撃し、それを利用して、凌太が事故に遭って寝ている隙に、女に会い、うまくだまして女から金を巻き上げ、あげくの果てに、次の日、彼女を誰もいないところへおびき出し、犯そうとする。そのことを寝ている凌太が気づき、痛い足を引きずりながら加持を追い、ちょうど加持が女の上にまたがろうとしているところで彼に体当たりをし、二人が崖下に転落するといった内容となっている。おそらく、二人は死んだものと思われる。加持の登場は想定外としても、そういう輩がいることには納得がいくし、加持が女性を犯そうとするとき、凌太が採った行為は、それまでの凌太のことを知っている読者にとっては必然的なことである。つまり凌太が洪水の危機から救った女をゆすっているのは、金目当てではなく、そのことによってしか彼女と接触できないからであり、凌太は心底、女に惚れているのである。それらのことは、それ以前のエピソードにおいて充分示されている。故に、凌太が命がけで女が犯されるのを阻止しようとした行為が納得できるのである。つまり主人公の行為がそれまでの行為の延長線上にあれば結末は納得できるのである。それがアリストテレスの言う単純な物語の方法である。最後に生じる出来事（加持が女を脅迫したり、犯そうとしたりすること）は、主人公の思っていることと真逆であり、最大の抵抗事象の出現であり、最大の危機である。どんでん返しではない。

行為中心の筋で示した事例「埋葬」[35]の最終に近い「出来事」は、猫を殺した少年たちを打ちのめしてしまうことであるが、これまでの主人公・清水のことを知っている読者にはそれを必然的な行為として受け取れる。これもまた、主人公の心情とは真逆の出来事が生じ、それに主人公が対応するというパターンである。

それに対し、「逆転」（どんでん返し）の方法を示してみよう。内部中心の筋の事例で示した芥川の「蜜柑」[①]での娘の行為は、主人公にとっても、読者にとっても「想定外」の出来事であるが、そうする娘の行為になんらの違和感も覚えない。娘の行為に必然性を覚える。またそのことで、今までと逆の感情が生じ、今までの感情や気分が弱まるのも必然である。これは、娘を見ながら不快な気分を徐々に強めてきて、その気分の最悪の時に、娘のそれまで思っていたイメージとはまったく逆の行為をする。それは、主人公の憂鬱な気分の裏側に、なんとかこの気分を少しでも和らげる出来事が起こってくれないかという心情があり、それにマッチする出来事を娘が起こすである。このように、今までの予想とは真逆の、主人公が潜在的に願っていたことが生じるのが「逆転」である。筆者はこのような真逆の出来事を逆反復ととらえて、構造上、それまでの出来事の反復と同じ範疇のものとし、前の出来事と反復で繋がっているとする。これがアリストテレスの言う複合的な物語である。

増田みず子の作品「煙[32]」における銭湯での主婦の夫に対する反応が、これまでとは逆で、そのことにより、新しい思いが発生して、筋が終焉するのである。

このように「逆転」（どんでん返し）はよく使われる結末である。

事件や行為の筋で、どんどん危機が迫り、最大の危機になったときに、それを助ける援助者が現れ、危機を救い、乗り越えさせ、目的が達成されたり、逆に目的が達成されそうになったとき、決定的に打ちのめす出来事が生じ、行為を断念せざるをえなくなったりする。また、内部中心の筋では、ある感情が頂点に達したとき、その逆の感情を生じさせる出来事が生じ、感情を逆転させ、以前の感情が弱まるか消滅する。

さらに、アリストテレスは「詩学」ⓐにおいて結末として「逆転」の他にさらに「認知」をも挙げている。

つぎに「認知」というのは、まさに読んで字のごとく、無知（気づかないでいること）から知（気づくこと）への転換―そしてそれによって愛情または敵意へと心情が転換すること―であり、―中略―「認知」で最もすぐれたあり方は、それが「逆転」と同時に起こる場合であって、『オイディプス王』の中でおこなわれる「認知」などは、まさしくそれである。

作品「蜜柑」などはまさに娘についてのとらえ方の「逆転」と「認知」が同時に行われていく。また、作品「煙」では、最後が「新しい考え」に気づくことで終わるのだが、このように「新しい考え」への転換、発見で終えるのも、よくある結末である。ここでは具体的に示さなかったが、村田沙耶香の「コンビニ人間」なども自分が「コンビニ人間」であることに気づいて終わるのだが、これも「認知」による結末である。その他にも「決意」や「問題解決」など様々な運動の決着の付け方があるが、要は以前に描かれている事象との関係を重視したインパクトのある結末が望ましい。

9　筋《プロット》を発生させる源泉

こういう筋で小説を書きたいと作者が心から思うことをモチーフ（動機）と呼んでいる。小説を発生させるには、当然、作者のモチーフがなければならない。

しかし、ここでは、筋を発生させる小説内世界の人物、つまり主人公、または中心人物の源泉（E・ミンコフスキーの言葉）を探り、源泉をどのように描くかの参考にしようと考える。

筋を発生させる源泉は何も最初に描かれるとは限らない。いちばん終わりに描かれる場合もある。しかし、源泉があるならばそれは作品中のどこかで示しておかねばならない。

松本清張の「或る『小倉日記』伝」[24]の視点は三人称全知（過去のことを描く・物語型）なのだが、普通の全知ではなく、視点の変種で、中心人物・田上耕作について調べた人間が、田上耕作について書くという形をとっている。つまり発話者は観察者ではなく、調査者ということになる。これは三人称全知の変種である。

一章は、有名な詩人K・M氏が見知らぬ男から一通の封書を受け取ったところから始まる。見知らぬ男から封書を受け取るというのは日常生活においては事件であり、読者の興味をひく。その小事件を通して、作品の中心人物・田上耕作と、彼が行いつつある「鷗外の小倉での生活を調べる」という行為へ読者を誘《いざな》っていく。

二章から四章までは、田上耕作の人となりと彼をめぐる人物の紹介を行い、彼が鷗外の小倉時代を調べることにとりつかれる必然性を明らかにしていく。まず、彼が障害をもって生まれ、父母や祖父が必死になってそれを治そうとするが、口を開けたままで涎をたらし、言葉も明確に発音できないという障害は一生治らず、さらに左足を引きずって歩かなければならない障害も治らなかった。しかし、頭脳は優れていて、学校では常に学年で一番から下がったことがない、などということが描かれている。これは後ほど、小倉時代の鷗外を調べるのに非常な苦難をともなうという筋と関連性がある。さらには、彼は人並み以上に努力家であること、彼に似合う仕事がなく一生仕事には就けなかったことなどが描かれていく。

このことが「鷗外の小倉時代のことを調べる」ことに執念を燃やすことと関係し、筋の発生の源泉となっている。つまり彼にとってはそれが唯一の生きがいであったのだ。

　宮部みゆきも「彼が、自分自身の拠り所として大切にし、またしがみついてけっして離さなかった生きる目的が、『小倉在住時代の森鷗外の足跡を研究する』ということでした（r）」と言っている。

さらにどうして「鷗外」なのかという問題も生じる。もちろん背景には田上は小倉に住んでいて、鷗外の「小倉日記」が散逸して、いくら探しても見つからないことなどがあるが、もっと内面的なこととして、第二章で老夫婦と彼らが連れていた少女との交流が描かれる。耕作と少女とは遊び友達で、耕作は彼女にあわい恋心を感じていたようである。その少女の親代わりの老人が「でんびんや」という仕事をしていて、手に鈴をつけ、それを鳴らして耕作の家の通りを行き来していた。その様子が次のように書かれている。

じいさんは朝早く家を出て行って、耕作がまだ床の中にいる頃、表を通った。ちりんちりんという手の鈴の音は次第次第に町を遠ざかり、いつまでも幽かな余韻を耳に残して消えた。耕作は枕にじっと顔をうずめて、耳をすませて、この鈴の音が、かぼそく消えるまで聞くのが好きだった。それは子供心に甘い哀感を誘った。日が暮れて、じいさんは帰りも通る。

ああ、今、でんびんやさんが帰る、と父も晩酌を傾けながら、鈴の音が耳に入ると、呟くことがあった。じいさんは、そのようにおそくまで働いた。秋の夜など響灘の波音に混じって、表を通る鈴の音をきくのは、淡い感傷であった。

このような経験を持つ耕作が、友達に勧められて鷗外の「独身」という作品を読む。その中に、伝便についての一節が載っていた。それが耕作の心を打つ。「数日はそればかりが頭から離れなかった」とある。さらに「或る『小倉日記』伝[24]」の発話者は次のように述べる。

耕作は幼児の追憶が蘇った。でんびんやのじいさんや女の児のことが眼の前に浮かんだ。あの時はでんびんやとは何のことか知らなかった。今、思いがけもなく、その由来を鷗外が教えた。「戸の外の静かな時、その伝便の鈴の音がちりん、ちりん、ちりん、ちりんと急調に聞こえるのである」は、そのまま彼の幼児の実感であった。彼は枕に頭をつけて、じいさんの振る鈴の音を現実に聞く思いがした。

耕作が鷗外のものに親しむようになったのは、こういうことを懐かしんだのが始まりだったが、鷗外の枯淡な文章は耕作の孤独な心に応えるものがあったのだろう。

このような出来事や彼の周りのことを述べることによって、「田上耕作が鷗外小倉時代の様子を調べつくす」という五章以下の筋が発生する必然性を提示しているのである。

筋の発生理由やその源泉は冒頭近くで述べられる場合が多いが、そうでないものもある。これも前出の三崎亜記「闇」[34]では、筋の源泉は最終部で述べられる。前述したように「闇」は、主人公が「闇」に恐怖を覚え、徐々に追い詰められていくのだが、つまり感情中心の筋であるのだが、どうして「闇」をそんなに怖れ、それに追い詰められるのか、その源泉が不明である。しかし、最後で次のようなことが述べられる。

私は、「闇」の引き寄せる力に打ち勝つことができるのであろうか？

—そういえば……

たった一度だけ、父は、抱っこされて笑う私を、恐怖に歪んだ表情で投げ出したことがあった。父が私をそんな風に扱ったのは、後にも先にもあれっきりだ。それからすぐに、父は姿を消してしまったので、結局その意味がわからないままだ。—中略—

私は妻に「闇」のことを話した。

妻も、私の父や祖父が理由もなく失踪したことを知っている。

「僕も、いつか失踪してしまうかもしれないよ」と、冗談まじりで言ってきたこともあって、私の告白を真剣に受け止めてくれた。―中略―

私はリビングで（息子と）遊んでいた、私の人生の「光」（息子）を抱き上げた。

「おっ！　二日も会わないうちに、随分重くなったなぁ」

妻のためにも、息子のためにも、私は「闇」ごときに取り込まれるわけにはいかないのだ。

この子の前にもいつか、闇が姿を現すのだろうか？

いや、負の連鎖は、私の代で断ち切るのだ。この子には、「闇」を一切近づかせはしない。

息子は、私の希望を一身に受けて、輝くような笑顔を見せた。

無邪気に笑う息子の口の中に、「闇」がぽっかりと、文字通り「口を開けて」いた。


このように、最後になって、「闇」への恐怖の源泉が明かされ、さらに恐怖感が増す。

10 筋《プロット》に直接・間接に関わる人や出来事とは？

この章の3で一人の人物を中心にして「外部、行為、内部」の関係を考えたことがあるが、ここでは観点を変え、筋を中心にして「筋に直接、間接に関わる人物や事象」について考えることにする。

ただ、筋といっても進展の過程によって関わってくる人や出来事が変わる。そこで、筋を次の四つに分けて、筋との関係事項を探ってみる。

1. 筋以前
2. 筋の発生
3. 筋の展開
4. 筋の終焉

また、それを調べる資料として再び太宰治「走れメロス」㉕を採り上げるが、必要に応じて他の資料も考察する。なお、以後述べることは、筋に関係するものを取り出す作業であり、作品には必ずそれがなければならないというものではない。そういう事項が必要な場合があるということであり、一つの例示として受け取って欲しい。小説を書くときや読むときに、必ず参考になると思う。

なお「走れメロス」を主な資料として採り上げたのは、多くの人がすでに知っていることと、筋の中でも中心的な「行為中心の筋」であり、さらに、作品が短く、筋が単純で分析しやすいことなどによる。

1．筋の発生以前（準備）に関わること

前出の「書き出しの描き方とは？」の章では、視点の提示やコンテクストの生成などが重要なことであると述べたのだが、ここでは、内容のことのみに限って述べることにする。

冒頭近くではまだ主となる筋が発生していないので、すべてが筋との間接的関係である。しかし、きわめて強く筋に繋がっているものが多いし、非常に重要な箇所である。

ここは主として筋の発生の準備をするところであり、筋の中心となる主体（主人公や中心人物）が活動する土台を示すところである。そのために「主体の像や場所」や「時・季節・天候・風景」などを示す。これらについては「書き出し」の章でも述べたが、「走れメロス」では、「メロス」「セリヌンティウス」「シラクスの市」などの名前で場所は外国であり、人物も外国人で、外国の話であることが示される。しかも「牧人」「王」などの語から古い時代の話であることもわかる。場所は「メロスが住んでいる村」「シラクスという街」「その道中」「王城」である。村と街との距離は十里であり、「未明メロスは村を出発し」街について買い物などを済ましたころ「日も落ち」るほどの距離である。メロスが妹の結婚式に必要なものを買うためにシラクスの市にやってくるのだが、その過程で土台になることを簡潔に示している。ここはそういう準備を描くところだが、もう一つ、読者があまり意識しないが重要なことがある。

それは場所や天候などの土台を示しながらも、同時に土台以外の筋との関係をもつくっていることで

ある。（その部分に----を付ける）「走れメロス」では古代都市の雰囲気を醸し出していることがそれであるが、その機能についてはあまり明確ではないので、他の作品から二例、示しておきたい。まず、三崎亜記「闇」の冒頭を再度示す。

アタッシュケースをベッドの上に放り投げ、ネクタイを緩めながら、狭い室内を見渡す。

「経費削減、か」

今までの出張での定宿より、一ランク下のビジネスホテルだ。もちろん寝るだけだし、ベッドとシャワーがあれば不自由はない。だがやはり、旅先で一晩を過ごす部屋を窮屈に感じると、翌朝の疲労の回復度も違ってくる。

煙草のヤニで汚れた壁紙、隣の部屋の咳払いが漏れ聞こえる薄い壁。そしてもう何年も換えられていないだろう褪色して元の色がはっきりしないカーテン。えてして、こんなホテルだと景色も望めないものだ。運が悪ければ、すぐ目の前に隣のビルの窓があったり……。

作品「闇」[34]は不気味な話である。従ってそれに合うような部屋が描かれている。筆者はこのようなものを修辞的環境と呼んでいる。季節や天候や風景なども大いに修辞的環境として利用できる。重要な事項なのでもう一例示しておく。西加奈子の「木蓮」[38]の冒頭近くである。

ポストから数通の手紙を取り出し、部屋に入る。ベランダから日の光が差し込んでいて、部屋中を明るく照らしている。—中略—「すごく美味しそうよ」そう言って恋人がくれたスコーンを、お皿に並べ、トースターで温める。コーヒーを落とす間、レコードに針を落とし、オックステディの心地よいリズムに、しばらく身を任せよう。—中略—

いい日だ。とてもいい、日曜日。

コーヒーを一口飲んで、私は、思わず口を開く。

「……糞……っ！」

こんないい日曜日は、めったに無い。

この冒頭の描き方は、「闇」の冒頭とは逆の描き方である。「闇」では今後生じる筋の「雰囲気」と同一という連繫があった。しかし「木蓮」はその逆で、この日曜日に、主人公は離婚して子育てをしている恋人の七歳の子どもを預かって一日暮さなければならない。主人公は子どもが好きではない。この子はとても扱いにくい子どもである。嫌な日曜日が待ち構えている。気分のいい日曜日だけに、余計にこの後、しなければならないことが嫌になる。気候が後の事象（筋）を強める働きをする。

作品の最初辺りで、天候のことや辺りの様子を描く人が多いが、何げなく辺りを想像して描いている。

しかしそうではなく、これから描く内容や雰囲気と関係した形で描くことを勧めたい。

またこれ以上に重要なことは、筋が始まる以前の「**主体の思いや様子や特質や状況**」をきちんと描くことである。これが後ほど、筋の発生や進展に大きく影響を及ぼす。その主なものを三つ挙げておく。

一つは小説は主体の何かが何かに変わることを描くのであるが（その過程が筋となる）、どのように変わったかを比べるのに、最初の様態が明確でないと、比べられない。「走れメロス」ではこれが以下のように描かれる。メロスは「けれども邪悪に対しては、人一倍に敏感であった」。父母もなく、女房もない。妹と二人で暮らしている。さらに「妹は、村の或る律気な一牧人を、近々、花婿として迎える事になっていた」そして結婚式も間近なので「花嫁の衣裳やら祝宴での御馳走やらを買いに、はるばる市にやって来た」。

特にこの中でも「けれども邪悪に対しては、人一倍に敏感であった」が、筋と大いに関係する。

もう一つは主体、ときには客体の個性に関わることである。アリストテレスは「詩学」で、小説の主体となる人物は並の人間と比べて「すぐれた人間であるか劣った人間であるかのどちらかでなければならぬ」と述べている。筆者は、主体だけではなく、ときには主体の対象となる客体人物も含めて、並の人間より少しでもいいからより個性的に描くべきだと考えている。個性を発揮するのは、筋の進展であるが、そうした個性を持つにいたったのは生まれつきのこともあるが、彼、彼女の**源泉**が大いに関係している。「源泉」については「筋を発生させる源泉」の章で詳しく述べたのだが、源泉を筋の準備において示すことができる。もちろん、筋の途中でも「思い出」として描くことはできる。「走れメロス」での源泉は明確には描かれてはいないが「メロスは、村の牧人である。笛を吹き、羊と遊んで暮して来た」がそれに当たるのかもしれない。生来の気質が「邪悪に対しては、人一倍に敏感」であったのだが、それが環境によって汚されず、むしろ増幅されたとも考えられる。さらにその上に妹思いの優しさが加わる。

三番目としては、「筋へ誘《いざな》う出来事」が描かれることがある。これを「補助的筋」と名付けているが「走れメロス」では、次のように描かれる。「市全体が、やけに寂しい」。「まちは賑やかであった筈だが」と若い者になぜこうなったのかを尋ねるが誰も答えない。そのうち、一人の老爺《ろうや》に逢い「老爺《ろうや》のからだをゆすぶって質問を重ね」とうとう「王さまは、人を殺します」と答えさせる。さらにその理由は彼・彼女らは「悪心を抱いている」「人を信ずることができぬ、と申されます」と言う。娘婿からお世継ぎまで、さらには皇后、賢臣まで、すでに殺されましたと告げる。メロスはそれを聞いて激怒し、そのような国王は生かしてはおけぬと思い、短刀を持って、王城に入っていくがすぐに捕まり、国王の前に引きずり出される。ここまでが「筋以前」であり、以降が筋の発生過程である。

2. 筋の発生に関わること

王と、人は信じられるかどうかを議論し、その後死罪になりそうになったとき、メロスは王に対して次のような願いを申し入れる。「ただ、私に情けをかけたいつもりなら、処刑までに三日間の日限を与えて下さい。たった一人の妹に、亭主を持たせてやりたいのです。三日のうちに、私は村で結婚式を挙げさせ、必ず、ここへ帰って来ます」。王はそれを聞き「ばかな。」「とんでもない嘘を言うわい。逃がした小鳥が帰って来るというのか」と拒否するが「そんなに私を信じられないならば、よろしい。この市にセリヌンティウスという石工がいます。私の無二の友人だ。あれを、人質としてここに置いて行こう。私が逃げてしまって、三日め日暮れまで、ここに帰って来なかったら、あの友人を絞め殺して下さい。たのむ、そうして下さい」と申し入れる。

王は、彼はきっと帰って来ない。それを奴輩《やつばら》にうんと見せてつけてやりたいものだと考え、メロスの要求を認める。

このように再び、王の下に帰ってくるという行為を提示したのはメロスであり、その基は、妹への愛である。さらにそれを許したのは王である。つまり筋を発生させたのは、主体のメロス自身であり、妹思いの個性である。それはメロスの「能動的行為」であり、それをかなえさせたのは王である。王の内心はどうであれ、一応はメロスの援助者、いや偽援助者である。このように「筋を直接発生させる事項」（人の欲望、欲求、外部的出来事など）と、それを助ける「援助者や援助事項」がある。さらにはそれをさまたげる「敵対者、敵対事項」もある。また欲望などは人の内心に潜在しているもので、それを活性化させる媒介者、媒介事象がある。欲望を活性化させ欲望に方向性を与え、行為にまで高める媒介者が筋の発生に関与する場合だってある。そのような人物を研究したのがルネ・ジラールの『欲望の現象学』[s]であり、それを作品分析に取り入れて日本に紹介したのは『個人主義の運命』[t]の作田啓一である。彼らはその媒介者のことを「欲望人間」と呼ぶ。欲望人間とは、あのようになりたい、あの人のようになりたいと思わせる人間のことである。これは何も作中人物として描かれているとは限らない。作者自身がそのような人物を自分の中に持っていて、それが作中に採り入れられている場合もある。筆者の知っている限りでは丸山健二の作品がそうで、彼はイヌワシのように雄々しく生きたいと常々言っている。

それで、彼の作品の主人公もそのような振る舞いをする。「走れメロス」では欲望人間はメロスの友人・石工のセリヌンティウスだったかもしれない。あるいは作者太宰には、「メロス」がそうであったかもしれない。

3．筋の展開に関わること

筋の展開に関わる人物や事象は明確で、かつ、単純である。一つは、主体の行為を妨げる人や事象であり、もう一つは主体の妨げの克服に援助を与える人や事象である。前者が敵対者・敵対事象であり、後者が援助者・援助事象である。さらに援助者・援助事象の一人に、エネルギー提供者、提供事象がある。「走れメロス」での敵対者・敵対事象は妹の結婚式の宴会、未練の情、深い眠り、呑気さ、濁流、一隊の山賊、疲労、暗い誘惑、悪魔のささやき、若い石工の言葉などである。援助者・援助事項・エネルギー補給者・補給事象は、メロスの内にある力、名誉を守りたいという思い、清水、義務遂行の希望、私は信じられているという思いなどである。

なお、克服の方法には、

1．戦って障害をとりのぞく
2．障害を耐える
3．障害を無視する
4．援助者の助けによる
5．障害から逃げる

などがある。「走れメロス」では1と4で克服する。

4. 筋の終焉に関わること

ここは「筋《プロット》の結末の描き方」の章と重なる。

筋の結末は、決定的な援助者・援助事項、または、決定的な敵対者・敵対事項が関わってくる。それにより主体の目的が成就、または、挫折することにより筋が終焉する。

「走れメロス」の決定的な援助者は、若い石工が伝えた次のセリヌンティウスの刑場での様子と一言である。「王さまがさんざんあの方をからかっても、メロスは来ます、とだけ答え、強い信念を持ちつづけている様子でございました」この若い石工の言葉がメロスに「わけのわからぬ大きな力」を起こさせ（エネルギーを与え）、それに「ひきずられ」るようにして必死で走り、ついに刑場にたどり着き、セリヌンティウスがまさに刑が執行されようとするときに、約束を果たすのである。王は彼の行為に感動し、自分の非を認め、圧政をやめることになる。

どんでん返しのない直線型の筋であり、アリストテレスの言う、「『単純』な物語」である。

また変化したことは「約束が守られるかどうかが不明な状態」から「守られた状態」への変化であり、同時に「自分自身が信じられる人であるかどうかがまだ不明」から「信じられる人」への変化であり、王を「人が信じられない状態」から「人は信じられる状態」へ変化させたことである。一つ目は外的状態の変化であり、二つ目は内的状態の変化である。さらに、最も基底的な変化は「約束が守られるかどうかが不明の状態」から「守られた状態」への変化である。さらに、筋の基体は「王との約束」である。

第五章　主題

1　筋《プロット》と主題、およびメッセージとの関係
――小説には必ず主題がなければならないのか？

以前にも述べたが、小説に関して述べられる言葉は多義的で曖昧な場合が多い。人によって意味が違う。例えば、ここで使おうとしている「主題」や「メッセージ」にしても、辞典にはいろいろな意味が書かれている。例えば「主題」は次のように書かれている。

①主要な題目。
②ある事柄で中心となる問題。テーマ。
※国語のため（一八九五）〈上田万年〉「現に着手すべき研究の主題、及び方向等をも知ることを得て」
※明暗（一九一六）〈夏目漱石〉「ことに自己の快楽を人間の主題（シュダイ）にして生活しようとする津田には」
③小説、芝居、映画など芸術作品で、作者の主張の中心となる思想内容。テーマ。
※貧乏物語（一九一七）〈河上肇〉一「而して是等第一級及び第二級の貧乏人こそ、以下是物語の

主題とする所の貧乏人である」

④音楽で、ある楽曲を生み出し、展開させる楽想の中心となるもの。ソナタ形式では、最初にいくつかのまとまった小節で提示される第一主題と、それを展開させた第二主題とがある。〔音楽字典（一九〇九）〕

（『精選版 日本国語大辞典』小学館）

「メッセージ」にしても同じだ。

①伝言。ことづて。
②伝えたいこと。訴えたいこと。
③アメリカ大統領が議会に送る教書。
④言語や記号によって伝えられる情報内容。
⑤略（ＩＴ関連の意味の記述）

（『大辞林 第三版』三省堂）

したがって、筆者がここで使う意味は、以下に限定する。

「主題」↓作者の主張の中心となる思想内容。

「メッセージ」↓伝えたいこと。

このように限定して考えると、主題については次のような問題が生じる。ある人がたいへん感動した出来事に出会った。読者にもその感動を共有して欲しいと思い、その出来事を小説にして書いた。この場合「伝えたいこと」は出来事そのものであり、「主張する中心思想」などない。つまりメッセージはあるが主題がない、ということが起こる。

また、ある人が、徐々に対人恐怖症が深まっていったことがあった。それがあることをきっかけにして治った。その出来事を小説として書きたいと考えたとしよう。これも「伝えたいこと」はその「出来事」そのものであり「中心思想」などはない。しかし、これらはれっきとした小説である。

批評会などで「この小説は、何を言いたいのかわからない」「テーマが何かわからない」といった批評をよく聞く。この評者は小説には必ず主題（中心思想）や訴えたえたいことがなければならないと思っているようだ。しかし、作者にとっては、この小説そのものが伝えたいことである。筆者は、小説には必ず「伝えたいメッセージ」がなければならないが、「主題」については、主題のある小説とない小説があると言いたい。

さらに、もう一つ言いたいことがある。主題の定義の中に「作者の主張の中心となる思想内容」とある。しかし、小説には作者は登場しない。小説では虚構的発話者が言語を発している。主人公が発話者ならば、「描写型」の小説では今そこで生じていて、関心のある事象のみ、描写していくのだから、次に起こることが中心的思想に合致するかどうかなどわかりようがない。それに、発話内容を総合して、読者が中心思想をとらえたとしてもそれは一義的には発話者の中心思想であって作者がこの作品のために作り上げた中心思想にすぎない。それが作者の思想とは言えない。「回想型」の小説も同じで、回想しているのは虚構的「私」であって、作者ではない。だから、その言葉を基にしてとらえた中心思想は虚構的発話者の思想に過ぎない。観察者が発話者なら、眼前に起こる、あるいは起こった出来事を意味づけたりできない中立者であり、中心思想など発話することはできない。したがって、作者の中心思想はこのようなものだろうと読者が推測するものである。作者の意図する中心思想は、小説に書かれている具体的事象などすべてのことから解釈されるもので、顕現しているものではない。故に読者が解釈によってとらえられるもので、作者は小説内で直接的には書けないものである。「主題」のある小説を書きたい人は、是非、このことは心に留めておいて欲しい。小説の全体が一つの言語(記号表現)となって、そこから読者はその小説に示されている中心思想を読みとるものである。だから、当然、作者が設定した中心思想と読者が考えた中心思想とがずれる。この場合、作者の設定した中心思想の方が正しいとは決して言えない。作品が作者の思想を忠実に表現できているとは限らないし、読む方向によっては違った解釈があり得るからである。

ところで、これも以前の章で述べたことではあるが、小説は統一されていなければならない。物語は「断片的な経験や現象を一定の時間的、空間的枠組みの中に整序することによって一貫した形に表現し、全体としての意味をいわば創発させる」(「物語の多重性と拡張文学理論の概念ⓤ」)と小方孝が述べているが、文章を整序し、統一するには、原則次の三つの方法が考えられる。

次の図はそれら三つを示しているが、小説は図②と図③の形で統一される。図①は説明文・体験記などの統一の仕方である。

小説における②は、先ほど述べた主題のない小説で、出来事そのものがプロット的に統一されていて（運動的に統一されていて）出来事自身が、おもしろい、あるいは感動的、などであり、出来事そのものを伝えたい小説である。それに対して、図③は、小出来事が一つの出来事に統一され、さらに、それが記号化され（二次言語化され）、主題なるものを暗示するのである。

いずれにしても、小説の良し悪しは、図②、図③における筋がしっかりしていて迫力があり、かつ出

図①

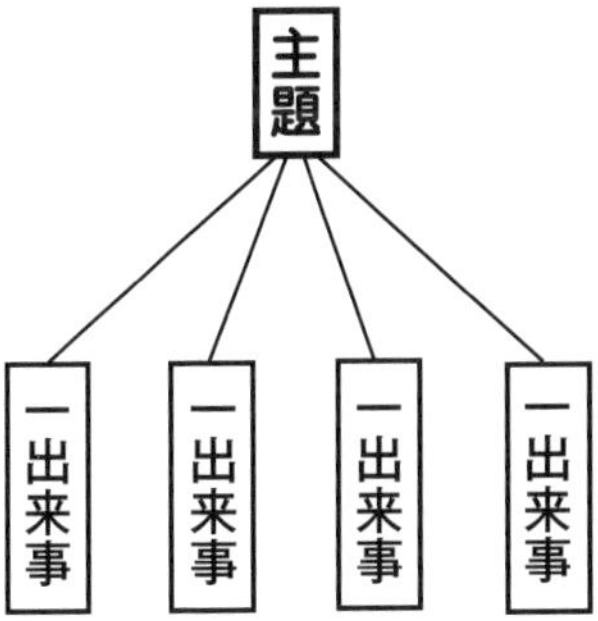

図②

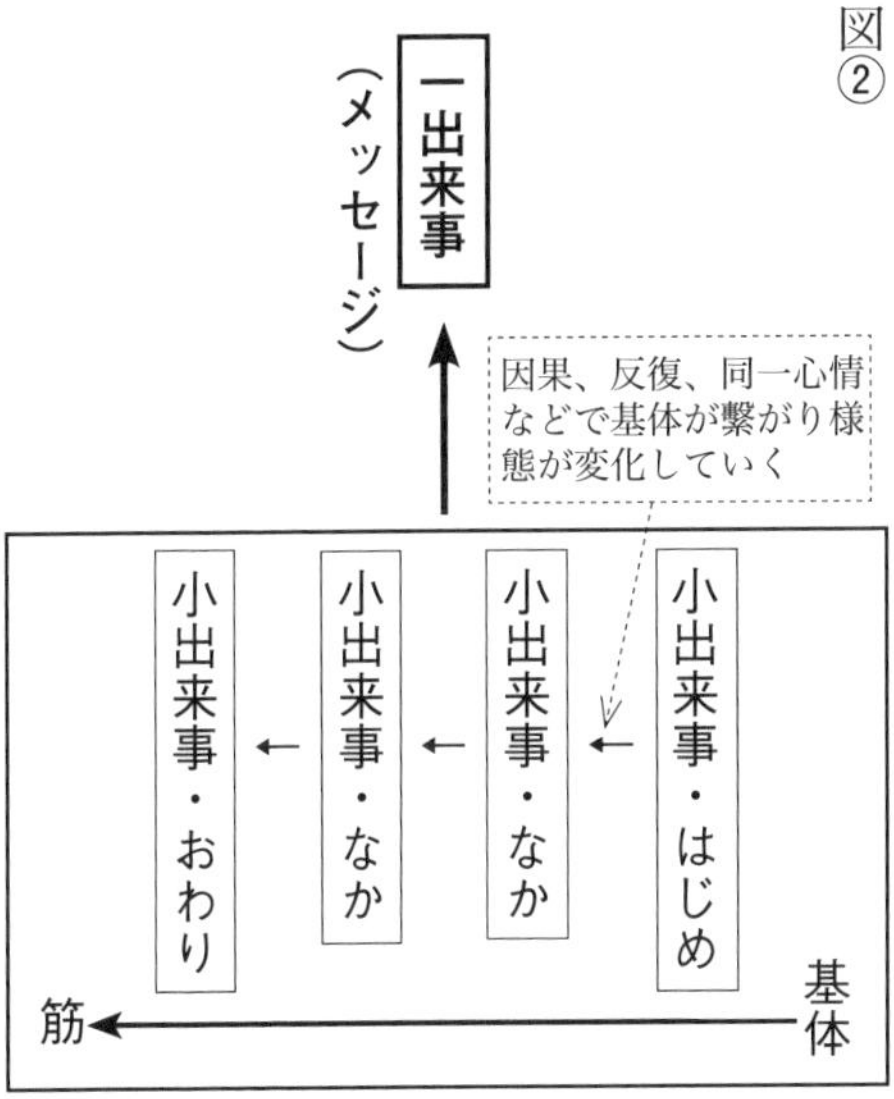

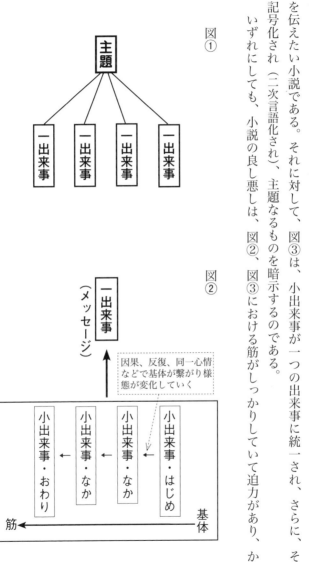

図③

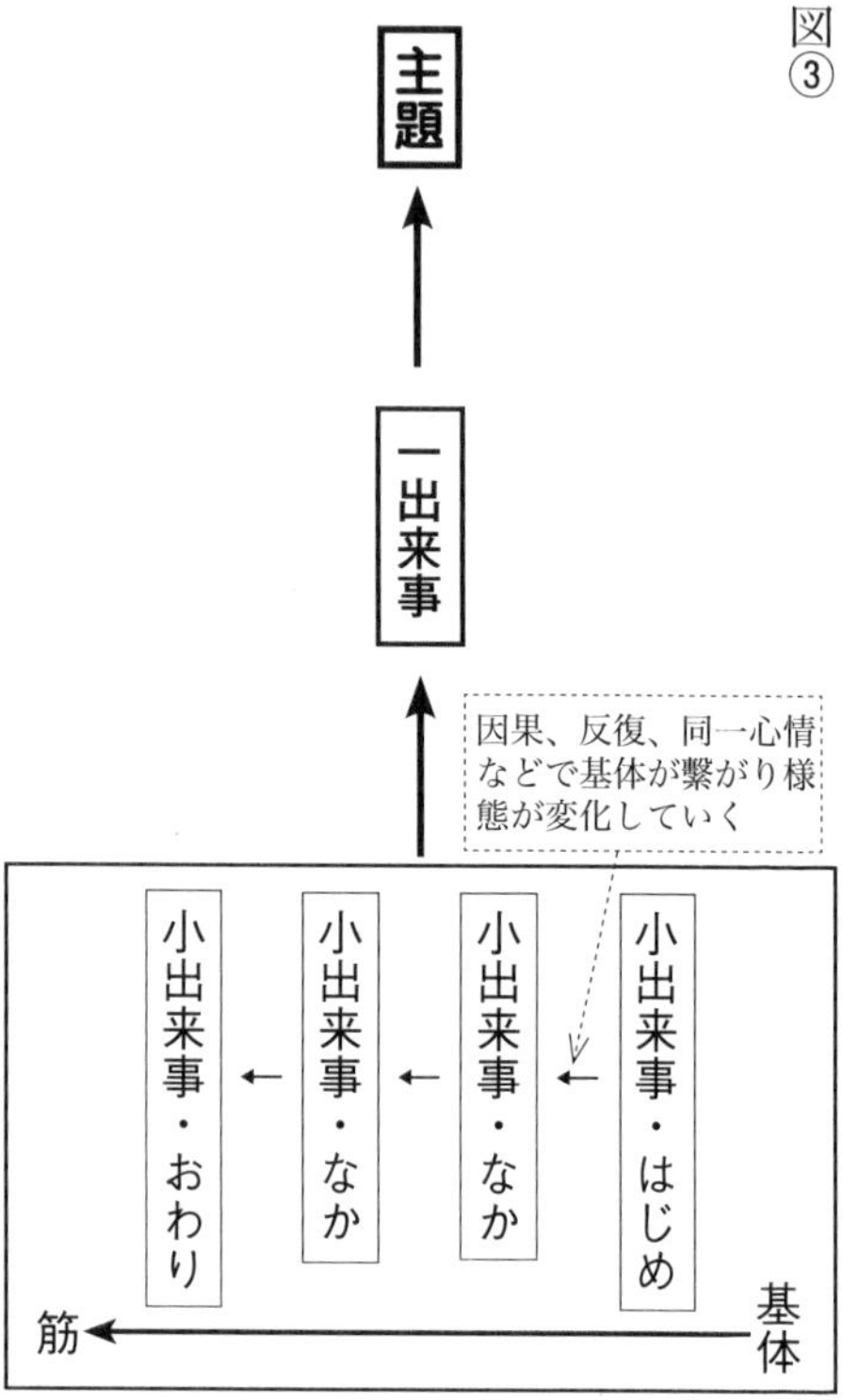

来事の書かれ方が内容豊かであることが必要不可欠である。

以上のようなことから、主題を中心に小説を考えると図②の小説を阻害してしまうし、筋やそれに関係することが見失われ、図①に陥る危険性がある。さらには図③への意識が弱まり、主題と出来事との関係が図式的になる怖れがある。何も主題から出来事を考えることが悪いとは言っていないが、充分注意する必要がある。

主題のある小説を書こうとする場合、三つの方法がある。一つめは、主題となる書きたい中心思想を考え、それから出来事や筋を考える考え方である。二つめは、先に出来事や筋を考え、そのあとその出来事や筋からどのような思想がにじみ出てくるかを考え、微調整するやり方である。前者は演繹的な考え方であり、後者は帰納的な考え方である。さらに三つめは、これらを相互交流させながら、主題も筋も明確なものへと仕上げていくやり方である。演繹・帰納混在型の考え方である。最もよく使われるのはこの三番めのやりかたであろう。

例えば、最近ののんびりとは生きられない、なんだかイライラするということを小説で表したいと考えたとする。そのためには、鬱な気分がどんどん高まっていく筋を描き、それをどう克服しようか考える男を描きたいと思う。この場合、小説の書き方は、内部中心の筋であり、筋の基体はストレス感である。それが低い状態から外部の出来事と出会うことで、徐々に高まっていく様子と、それをどう克服するか考えていく様子を描くことにし、さらにそれを会社を出てから家に帰るまでの間に出会う出来事によって描いてみようと考え、会社から帰りの最寄り駅に向かう途中、向こうからやってきた青年の肩にちょっと触れただけなのに青年から罵声を浴びせかけられるということから書き始める。さらに、ストレス感を具体的に示す様子として、自分の影がゆがんで見えだすことを描こうと考える。青年の罵声の後、自分の影が変に見えだしたことに気づくといった形で書く。その後、自分の影がやたら気になりだし、何かと出会うごとに、影がどんどん濃く、さらには奇妙な形に見え始め、不安な気分も強まる。それが、極端になった時、それを逆転させる出来事に出会わせることにする。そう考えて小説を書き始める。ひょっとして、これで現代社会の息苦しさを表すことができるかもしれないと考える。これが、演繹・帰納混在型の方法である。何をどう描こうかと考えたとき、やはり、演繹・帰納混在型が一番多いのではないか。

また、体験を基盤にして描く場合は、図②とするか、図③でも出来事から主題へという方向で考えるほうがいいだろうし、エンタメ的な小説を書きたいなら、図②になるだろうし、純文学の心理小説を書きたい場合も図②になるだろう。要は主題よりも筋を考えることが大切である。

あとがきに代えて　——本書の利用のために

本書を手にした人は、まず、一読してほしい。その後、どのように利用してもらってもいいのだが、参考になればと思い、一例を示してみた。

初めて小説を書こうとする人へ

とりあえず、あまり何も考えずに、今まで経験した中で印象に残っている一つの出来事を選んで（または一つの出来事を想像して）、その出来事の発端から終了までを、まわりの様子なども含めて詳しく描いてみる（短くていい。ただし、できればそれを思い出す形ではなく、その場にいる私になって、またはその場にいる主人公になって書く）。そういうものを二、三作書いてみる。

その後、書いたものは、本書で説明している「視点」の中のどの視点か、すべてその視点で貫かれているか、筋がプロット的になっているか、描写はできているか、説明の入れ方はそれでいいか、書き出しの事項が守れているか、などを確かめてみる。

もし、守れていないところがあれば、書き加えたり、書き直したりする。

そういうことを繰り返しながら、次には、書く以前にそれらの事項を意識的にしてみたり、視点を

「私」ではなく他のものにしてみたり、描き方を回想型や語り型に変えたり、結末の付け方を工夫したり、推敲において検討する事項をさらに増やしてみる。できれば作品を誰かに読んでもらい、わかりにくいところや、読んで感じたことなどを言ってもらうといい。

すでに書き始めたり、同人誌に参加したり、懸賞に応募したりしている人へ

本書に書いたことは小説を書くための基本事項であるが、このようなことをすべてを意識して描く必要はない。なぜなら本書に挙げた基本事項には、次のような性質の違うものがあるからである。

1 小説を書こうとすれば、誰でも必ず書き始める前に意図的に決定しておかなければならないこと。
2 小説を書き始める時に意識しておけば、後は自ずから生じてくるもの。したがって意識しなくていいもの（1の結果として受動的に出てくるもの。これはひとによって違う。その理由を、後で少し説明する）。
3 作品を書き上げた後、推敲において意識して見直すべきもの。
4 一応、知識として持っておけばいいもの。

以上の四種類の基本事項が書かれている。

まず、小説を書く前に、きちんと決めておかなければならないことがあるが、それには次のようなことである。

・視点をどれにするか（発話者・述べ手を誰にするか、どこから発話するか）。
・筋をどのようなものにするか（何・誰のどのような状態をどのように変えていく筋にするか、あるいはどのような一つの出来事を書こうとするのか、または主人公がどのような問題を解こうとするのか、どのような願望を実現しようとするのか、そのうちどれか一つを決定すること）。これが決まると、中心的な筋が事件中心の筋か、行為中心の筋か、内部中心の筋かが自ずと決まるが、それをはっきりと意識しておくこと。それによって描き方が違ってくる。
・描写型で書くか、回想型で書くか、物語型で書くかを決める。
・どこから書き始めるか（出来事の最初から書き始めるか、それとも途中から書き、それ以前のことは途中で必要があれば過去を思い出すという形で書くかなど）。

以上のようなことが決まれば、ほぼ、小説の骨子が決まるので、後は書きながら考えたり想像したりすればいい。あるいは、前もって、大体の小出来事の順序を考えておくのもいい。

書き上げた上で、推敲において、視点や書き出しに問題がないか、筋がプロット的になっているか、描写や説明の入れ方に問題がないか、作品途中での出来事が筋に適切に関わっているか、対立者や援助者がうまく描かれているか、中心的行為者の源泉が必要か。必要ならば、適切に描かれているか、結末の付け方はどうか、行為者へのエネルギーの補給がうまくいっているか、比喩などが適切に描けているか、などを検討する。

さらに、それらを通して、自分が意識して直さなければならないところと、すでに自然にできているところを把握する。

長編を書く場合には、いろいろな実体的筋を統一するさらなる上位の理念的筋が必要である。例えば、ある人物が破滅していく過程、ある人物が成長していく過程、ある事件が解決されていく過程などといったこと。

本書に書いたことはあくまでも基本であり、いろいろと応用して書いてほしい。また、具体的な作品は自然と応用した形になる場合が多い。

例えば、西加奈子の短編集『しずく』の中の「影[38]」という作品では、主人公が失恋して本当はひどく悲しい気持ちであり、誰かに悩みを打ち明けたい、助けてもらいたい、と思っている。だが、会社では主人公はサバサバした、強い子で通っている。それでつい、そのように装ってしまう。そんな性質を本当は変えたい。つまり、失恋により主人公は二つの問題を同時に抱え込んでしまう。一つは失恋の悲しみから抜け出したいという思い。もう一つは、みんなの考えに従ってしまう性格から抜け出したいという思いである。

そこで、とりあえず、失恋の悲しみを癒やすため、ある島へ旅行する。そこで、恋人を海で亡くした不思議な女の子と出会い、その子と親しくなっていく。その結果、彼女の振る舞いを見て、自分の抱えている問題の解決への端緒を見いだすという筋である。

この場合、中心的な筋は、失恋の痛手を癒やし、周囲の考えに従ってしまう性格を直したい、その問題をどのような形で解決していくのか、その過程が筋である。読者には、島で主人公の抱えている問題に関わるどのような出来事が起こるのかといった「謎」が生じる。

島では、主人公が不思議な女の子と出会い、その女の子と徐々に親しくなっていく過程が描かれていく。つまり、不思議な女の子の状況を知り、彼女の行為や心情を理解し、惹かれ、親しくなっていくという筋が描かれていく。これは、筋の中にもう一つ、重要な筋が出現するということである。中心的な筋が島では潜在的になり、不思議な女の子との関係が中心的な筋となる。また、それが、結末において中心的問題を解決する助けをする。

このように、二つの筋がクロスしたり、重なったりといった「基本的な筋の応用」がなされている。

実験的な小説を書きたい人へ

実験的な小説を書くにも、とりあえず、本書に書かれている基本はほぼ守まれていなければならない。その上で基本の一部を意図的に破って、いろいろと工夫を凝らす。例えば視点に工夫を凝らす（章ごとに視点を変える、視点を人間ではなく動物にする、発話者を示す「私は」などを一切書かない、二人称視点で書いてみる、など）。筋や描写に工夫を凝らす（例えば、中心的な筋を多重にする、筋が表には見えないようにする、比喩を多用する、主人公や対象人物を新しい人物にするなど）。様々な方法がある。ただし、この場合、作者にそうせざるを得ない明確な理由がなければならない。それが絶対条件である。安易にそのようなことをすべきではない。基本からはずれれば、必ずデメリットが生じる。それ以上のメリットがなければならない。

必ずしも、意識して書かなくてもいいところが出てくる

スポーツ選手がよく「からだに覚えさせる」と言う。彼・彼女たちは、まず、あることを身につけようと意識して、必死に練習を重ねる。例えば野球の内野手がゴロのボールを捕球する場合、できるだけ前で捕るとエラーが少なくなるという法則がある。ある選手はこの法則に従い、今より一〇センチ前にグローブを出して捕ろうと考え、意識的に何度も練習する。すると、今度は意識しなくてもそのようになる。それが習慣化され、自然とできるようになる。このようなことは、小説の場合でも起こる。

多くの人々はすでに小説の描き方の基礎は自然と学んでいる。本書の始めに書いたように、日常において物語的に話をしたり聞いたりして学んだり、小説を読んでなんとなく小説の文章や筋などの描き方が頭に入っていたり、エッセイや体験記を書いた経験から描写的描き方が身についていたりする。よってすでに小説的なことがかなり身についている。しかし、完全ではない。それで、小説の基本に従って、意識して書けば、それが習慣化され、小説的描き方が身につき、意識しなくても書けるようになる。自分はどこが自然にでき、どこが意識して書かなければならないかを、本書の基本事項を参考にして探ってみてほしい。それにより、能動的に行わなければならないところを発見し、そこを意識しながら小説を書くといい。

他人の小説を読む場合

同人誌などに入っている人は、合評会などをする。他人の作品について感想を述べたり、批評したりする。そのようなとき、本書で書かれているようなことを意識して読めば、感想や批評が的確になる。

さらには、プロの作品を読む場合も、今までとは違った読み方ができ、それらから多くを学ぶことができる。小説を読むためにも本書は役立つと思う。

主な引用文献・参考文献

（「　」内は作品名、『　』内は単行本名、引用にあたっては旧仮名遣いの作品は現代仮名遣いに変えた）

① 芥川龍之介「蜜柑」（青空文庫）
② 花房観音「藪の中の《太字ママ》情事」（『花びらめくり』所収、新潮文庫）
③ 松本清張「恐喝者」（『松本清張傑作短篇コレクション』所収、文春文庫）
④ 三崎亜記「送りの夏」（『バスジャック』所収、集英社）
⑤ 井上光晴「似た男」（『井上光晴作品集3』所収、勁草書房）
⑥ 永井龍男「マッチ」（『永井龍男全集2』所収、講談社）
⑦ アラン・ロブグリエ『嫉妬』（白井浩司訳、新潮社）
⑧ 黒井千次「闇の船」（『見知らぬ家路』所収、文藝春秋）
⑨ 道尾秀介「病葉」（『短篇ベストコレクション、2011』所収・徳間文庫）
⑩ 吉行淳之介「鳥獣虫魚」（『吉行淳之介全集4』所収、講談社）
⑪ 宮部みゆき『理由』（朝日新聞社）
⑫ 志賀直哉「城の崎にて」（『志賀直哉全集第二巻』所収、岩波書店）
⑬ 日野啓三「裏階段」（『鉄の時代』所収、文藝春秋社）
⑭ 今野敏「冤罪」（『短篇ベストコレクション2009』所収、徳間文庫）

⑮浅田次郎『獅子吼』（『短篇ベストコレクション2014』所収、徳間文庫）
⑯松本清張「二階」（『黒地の絵』所収・新潮文庫）
⑰浅田次郎「琥珀」（『短篇ベストコレクション2009』所収、徳間文庫）
⑱ドストエフスキー『新訳・地下室の手記』（安岡治子訳、光文社）
⑲ミシェル・ビュトール『心変わり』（清水徹訳、河出書房新社）
⑳朔立木「スターバート・マーテル」（『深層』所収、光文社文庫）
㉑バージニア・ウルフ『ダロウェイ夫人』（土屋政雄訳、光文社古典新訳文庫）
㉒佐藤洋二郎「運動会」（『文学2000』所収、講談社）
㉓志賀直哉「暗夜行路後編」（『志賀直哉全集第五巻』所収、岩波書店）（現代仮名遣いに改める）
㉔松本清張「或る『小倉日記』伝」（『松本清張傑作短篇コレクション　上』所収、文春文庫）
㉕太宰治「走れメロス」（青空文庫）
㉖勝目梓「家族会議」（『短篇ベストコレクション2013』所収、徳間文庫）
㉗高橋たか子「乗車錯誤」（『骨の城』所収、人文書院）
㉘村上春樹『風の歌を聴け』（講談社）
㉙まどみちお「ウジ」（『まどみちお全詩集』所収、理論社）
㉚三好達治「雪」（『日本詩人全集21』所収、新潮社）
㉛仙川環「ドナー」（『短篇ベストコレクション2011』所収、徳間文庫）
㉜増田みず子「煙」（『水鏡』所収、講談社）

㉝ 小池真理子「岬へ」（『短篇ベストコレクション2013』所収、徳間文庫）
㉞ 三崎亜記「闇」（『短篇ベストコレクション・現代の小説2011』所収、徳間文庫）
㉟ 勝目梓「埋葬」（『短篇ベストコレクション2010』所収、徳間文庫）
㊱ 丸山健二「夢の影」（『落雷の旅路』所収、文藝春秋社）
㊲ 大関松三郎「虫けら」（『大関松三郎詩集　山芋』百合出版社）
㊳ 西加奈子「木蓮」（『しずく』所収、光文社文庫）

ⓐ アリストテレス「詩学」（『世界の名著8』所収、藤沢令夫訳・中央公論社）
ⓑ P・リクール『他者のような自己自身』（久米博訳、法政大学出版局）
ⓒ P・リクール『時間と物語　1』（久米博訳、新曜社）
ⓓ 新田義彦「物語生成理論の持つ万物理論的側面」（日本認知科学学会第33回大会発表記録）
ⓔ L・サーメリアン『小説の技法』（浅田雅明他共訳、旺史社）
ⓕ I・A・リチャーズ『新修辞学原論』（石橋幸太郎訳、南雲堂）
ⓖ 岩田純一「『比喩ル』の心」（『比喩と理解』認知科学選書17所収、東京大学出版会）
ⓗ 尼ヶ崎彬『日本のレトリック』（ちくまライブラリー8）
ⓘ 鹿内信善『「創造的読み」への手引』（勁草書房）
ⓙ E・M・フォースター『小説の諸相』（『小説とは何か　新訳版』米田一彦訳、ダヴィッド社）
ⓚ E・ミンコフスキー『生きられる時間　1』（中江育生／清水誠訳、みすず書房）

ⓛ Ｌ・Ｊ・グレマス『構造意味論』（田島宏／鳥居正文訳、紀伊國屋書店）
ⓜ 夏目漱石『文学論　上』（岩波文庫）
ⓝ Ｗ・ジェームズ『心理学　上』（今田寛訳、岩波文庫）
ⓞ 清水真木『感情とは何か』（ちくま新書）
ⓟ 森下伸也「近代社会と分裂症的意識」（「ソシオロジ、27巻3号」所収）
ⓠ 新田義彦「『物語構造』の動的観想」（「産業経営研究第38号」所収）
ⓡ 宮部みゆき「巨匠の出発点・前口上（『宮部みゆき責任編集、松本清張傑作短篇コレクション　上』所収、文春文庫）
ⓢ ルネ・ジラール『欲望の現象学』（古田幸男訳、法政大学出版局）
ⓣ 作田啓一『個人主義の運命』（岩波新書）
ⓤ 小方孝「物語の多重性と拡張文学理論の概念」（『複雑系社会理論の新地平』吉田雅明編　所収、専修大学出版局）

〈著者紹介〉
奥野 忠昭（おくの ただあき）

1936年 大阪府岸和田市にうまれる
1960年 大阪学芸大学卒業
1981年 大阪教育大学大学院（国語科教育学専攻）修士課程修了
元和歌山大学教育学部教授
1965年 「煙へ飛翔」で日教組文学賞を受賞
同作品で第61回芥川賞候補
1970年 「空騒」で第63回 芥川賞候補
1977年 「姨捨」で神戸文学賞受賞

著書
短編小説集『煙へ飛翔』（一ツ橋書房刊）
短編小説集『舟が見えてもいい』（創樹社刊）
短編小説集『電車ともだち』（大阪文学学校・葦書房刊）
評論集 『日常を超える闘い――日野啓三論』（ドット・ウィザード刊）
解説書 『これだけを知っていれば小説は見違えるほどよくなる』
（大阪文学学校・葦書房刊）

創作入門 ―小説は誰でも書ける
小説を驚くほどよくする方法

定価（本体1800円＋税）

2021年7月27日初版第1刷印刷
2021年8月 2日初版第1刷発行
著　者　奥野忠昭
発行者　百瀬精一
発行所　鳥影社 (choeisha.com)
〒160-0023 東京都新宿区西新宿3-5-12トーカン新宿7F
電話 03-5948-6470, FAX 0120-586-771
〒392-0012 長野県諏訪市四賀229-1(本社・編集室)
電話 0266-53-2903, FAX 0266-58-6771
印刷・製本　モリモト印刷

ISBN978-4-86265-910-1　C0095